D1429839

rowohlts
monographien
herausgegeben
von
Kurt und Beate Kusenberg

Dimitri Schostakowitsch

**mit Selbstzeugnissen
und Bilddokumenten
dargestellt von
Detlef Gojowy**

Rowohlt

Dieser Band wurde eigens für «rowohlts monographien» geschrieben
Den Anhang besorgte der Autor,
die Bibliographie bearbeitete Wolfgang Werner
Herausgeber: Kurt und Beate Kusenberg
Wissenschaftliche Beratung: Klaus Schröter
Assistenz: Erika Ahlers
Umschlagentwurf: Werner Rebhuhn
Vorderseite: Dimitrij Schostakowitsch, 1940
(Deutsche Fotothek, Dresden)
Rückseite: Das Kino «Aurora» in Leningrad, wo Schostakowitsch
als Kinopianist tätig war (Foto: Detlef Gojowy)

Veröffentlicht im Rowohlt Taschenbuch Verlag GmbH,
Reinbek bei Hamburg, September 1983
Copyright © 1983 by Rowohlt Taschenbuch Verlag GmbH,
Reinbek bei Hamburg
Alle Rechte an dieser Ausgabe vorbehalten
Satz Times (Linotron 404)
Gesamtherstellung Clausen & Bosse, Leck
Printed in Germany
880-ISBN 3 499 50320 4

Inhalt

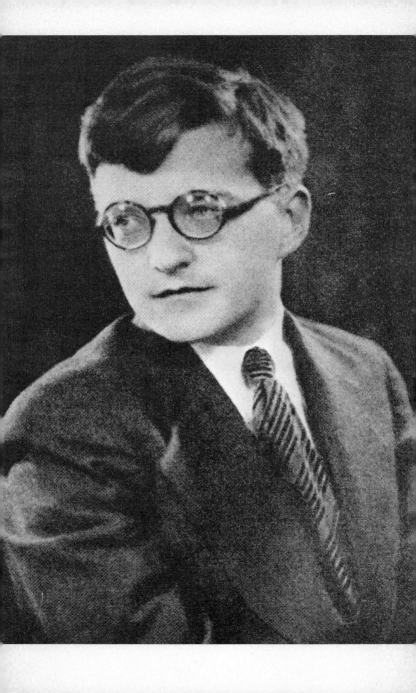

Vorwort, zu den Quellen

Den Namen Schostakowitsch vernahm ich in früher Kindheit als den eines Komponisten, der lieber einem guten Fußballspiel beiwohne als der Aufführung einer seiner Sinfonien. Dann begeisterte mich die Aufführung der *Leningrader Sinfonie* durch die Dresdner Philharmonie unter Kurt Masur; später, während des Musikstudiums, begann ich mich intensiver mit ihm zu beschäftigen und spielte sein *Präludium* und *Fuge fis-Moll* im Abschlußexamen. Mein Interesse war geweckt, und ich wollte eine Doktorarbeit über Schostakowitsch schreiben – mein Göttinger Doktorvater Heinrich Husmann bewog mich zu einer Untersuchung nicht allein über Schostakowitsch, sondern über eine ganze Generation der sowjetischen Komponisten der zwanziger Jahre, unter der Schostakowitsch einen herausragenden Platz einnimmt.

Die Quellen für diese Dissertation, die 1980 bei Laaber in Buchform erschien («Neue sowjetische Musik der zwanziger Jahre»), waren in Deutschland leicht zugänglich: das ganze E-Musik-Programm des sowjetischen Staatsverlags war infolge der Zusammenarbeit mit der Universal Edition seinerzeit in deutsche Bibliotheken gelangt, darunter Werke, die in der Sowjet-Union inzwischen verfemt waren und nicht mehr aufgeführt werden konnten. Dies änderte sich erst in den sechziger Jahren, und gerade Bühnen der Bundesrepublik kommt das Verdienst erster Wiederaufführungen der *Lady Macbeth* und der *Nase* zu, die diesen Prozeß mit in Gang setzten. Gleichwohl war das Interesse an Schostakowitsch hier im allgemeinen eher gering, denn Schostakowitsch galt – ungeachtet der Schwierigkeiten in seiner Heimat – mehr oder minder als «parteitreuer Staatskomponist»: eine Rolle, in der ihn die offizielle Propaganda seines Landes zu stilisieren liebte und die er sich in gewisser Weise sogar selbst ausgesucht hatte – über die Voraussetzungen wird später zu reden sein. Eine Rolle jedenfalls, an der zu zweifeln im Westen niemandem in den Sinn kam – ungeachtet des Schicksals seiner Musik und der Aussage dieser Musik.

Das änderte sich erst Ende der siebziger Jahre, mit dem Erscheinen der von seinem nach Amerika emigrierten jungen Freundes Solomon Volkov unter dem Titel «Zeugenaussage» [Testimony] herausgegebenen Gespräche und Erinnerungen, die Schostakowitsch in einer Rolle erscheinen ließen, für die sich im westlichen Denken – nicht minder klischeehaft – das Schlagwort «Dissident» herausgebildet hat. (Ich persönlich glaube, daß

Schostakowitsch weder ein «Funktionär» noch ein «Dissident» war, sondern daß er als durchaus patriotischer Russe und loyaler Sowjetbürger den vielleicht utopischen Versuch zum mündigen Denken und Handeln unternahm.)

Es konnte nur Ahnungslose überraschen, daß Volkovs Publikation von offizieller sowjetischer Seite alsbald zur Fälschung erklärt wurde. Zum Teil geschah dies mit erstaunlich haltlosen Argumenten – so hieß es in einem Artikel «Klop» (= Die Wanze) in der «Literaturnaja Gasjeta» vom 14. November 1979, Volkov sei erst sechzehn Jahre alt gewesen, als er die von Schostakowitsch diktierten Memoiren angeblich aufgezeichnet habe, und es sei doch wohl höchst unwahrscheinlich, daß der vierundfünfzigjährige Schostakowitsch einem so unreifen Jüngling diese Texte übergeben hätte. Ansatzpunkt dieses Scheinarguments ist offenbar eine Bemerkung im Vorwort Volkovs, wo er über die Anfänge seiner Beziehung zu Schostakowitsch im Jahre 1960 berichtet: damals war er tatsächlich erst sechzehn und Schostakowitsch 54 Jahre alt. Allerdings sind Volkovs Aufzeichnungen nicht 1960, sondern viel später entstanden – das Widmungsfoto von Schostakowitsch ist 1974 datiert – und in der «Literaturnaja Gasjeta» werden die Tatsachen völlig unterschlagen, daß Volkov bis Anfang der siebziger Jahre als Redakteur der «Sowjetskaja Musyka» in der Sowjet-Union lebte, daß er unter anderem ein Buch über «Junge Leningrader Komponisten» schrieb (Leningrad 1971), zu dem Schostakowitsch das Vorwort beisteuerte. Diese Tatsachen muß der sowjetische Leser der «Literaturnaja Gasjeta» aus der Erinnerung löschen. Ernster zu nehmen ist ein anderer Einwand von sechs früheren Schostakowitsch-Schülern in derselben Nummer: Benjamin Bassner, Moissej Weinberg, Nikolaj Karetnikow, Juri Lewitin, Boris Tischtschenko und Karen Chatschaturjan argumentieren gegen die Echtheit der Volkovschen Publikation, kurz gesagt, so: Schostakowitsch war ein zurückhaltender, feinfühliger Mensch und in seinen Äußerungen wohlüberlegt. Es erscheine nicht denkbar, daß er so bissige und vernichtende Urteile über Zeitgenossen gefällt habe wie sie in jenem Buch vorkämen. Auch wo das Buch bekannte und von Schostakowitsch selbst publizierte Äußerungen wiedergebe, seien diese offenbar entstellt.

In der Tat sind in die Volkovsche Publikation zahlreiche Texte eingegangen, die in anderen Versionen von Schostakowitsch selbst seinerzeit in der sowjetischen Presse publiziert worden sind, etwa seine Darlegungen über die Neubearbeitung von Mussorgskys «Boris Godunow», über seine Begegnungen mit Majakowski oder über sein Verhältnis zu Tschechow. Es gibt Textübereinstimmungen über weite Strecken, und dann wieder auch Abweichungen und Varianten, die gar nicht unbedingt «ideologischer» Art sind: teilweise ist der bei Volkov publizierte Text farbiger, beziehungsreicher und konkreter. Daß solche Abweichungen von offiziellen, sowjetischen Publikationen «Fälschungen» darstellen müßten, wäre sicherlich naiv anzunehmen, denn man kann nicht davon ausgehen, daß Schostakowitschs Meinungen in der sowjetischen Presse immer ungekürzt und unverändert veröffentlicht worden wären. Es deutet sich vielmehr sogar die Möglichkeit an, daß bei Volkov die originale Version dieser Texte vorliege, indem Schostakowitsch ihm Kopien alter Manuskripte übergeben haben könnte. Andererseits wäre auch denkbar, daß Schostakowitsch die damals publizierten Texte mündlich kommentierte, ergänzte und veränderte, und Volkov hätte dann beides kompiliert. Welche dieser beiden Möglichkeiten zutrifft, ist leider nicht zu erfahren, denn Volkov hat seiner Veröffentlichung keinen kritischen Bericht beigefügt, der das Zustandekommen seines Textes aufschlüsselte, und gibt auf entsprechende Fragen auch keine Auskunft. Insofern stellt diese Publikation tatsächlich einen im textkritischen Sinne, im Hinblick auf seine Authentizität ungesicherten Text dar.

Diese Meinung wird auch von der Familie Schostakowitsch vertreten, und zwar von seinem Sohn Maxim auch nach dessen Emigration in den Westen. Seine Witwe Irina Antonowa hatte mir bei Gesprächen im Januar 1980 in Moskau ihre Bedenken wie folgt dargelegt: Es habe wohl lange Unterredungen zwischen Schostakowitsch und Volkov gegeben, ihrer Erinnerung nach jedoch nur vier bis sechs. Volkov habe in seiner Veröffentlichung vieles aus dem Gleichgewicht gebracht, manches aufgebauscht und anderes unterdrückt – bestimmte schroffe Urteile zum Beispiel über Prokofjew oder den Dirigenten Mrawinski könne sie nicht für echt halten.

Maxim Schostakowitsch erklärte nach seiner Emigration im «Stern» vom 14. Mai 1981 (und ähnlich in der «Sunday Times» vom 17. Mai 1981): «Das sind nicht die Memoiren meines Vaters. Das ist ein Buch von Solomon Volkov. Herr Volkov muß offenlegen, wie dieses Buch zustande gekommen ist.» In diesem Sinn äußerte er auch – auf einer Pressekonferenz anläßlich seines Bonner Gastdirigats am 23. September 1982 –, man täte gut daran, diese Memoiren nicht als ein Buch von, sondern als ein Buch über Schostakowitsch zu betrachten. Bei dieser Gelegenheit – wie auch bei einem Gespräch im April 1982 in Köln – äußerte er auch seine Bewertung dieses Textes im einzelnen. Die politischen Ansichten seines Vaters seien dort im wesentlichen korrekt und zutreffend wiedergegeben, auch dürften die Passagen über jene Personen, die Schostakowitsch auf dem Widmungsfoto erwähnt – Glasunow, Soschtschenko und Meyerhold – vermutlich authentisch sein. Dagegen seien wohl viele Passagen über andere Zeitgenossen vermutlich nachträglich zusammengestellt, das heißt von Volkov kompiliert, auch unter Zuhilfenahme anderer Quellen, und nicht immer zutreffend.

Unter den sowjetischen Arbeiten, die auch nach Maxim Schostakowitschs Meinung höchste Anerkennung verdienen, ragen die biographischen Untersuchungen der Leningrader Musikwissenschaftlerin Sofia Chentowa hervor – ein zweibändiges Werk über den jungen Schostakowitsch, ein Buch über Schostakowitsch in Petrograd/Leningrad, ein Buch über «Schostakowitsch im Großen Vaterländischen Krieg» und eines über die drei letzten Lebensjahrzehnte von 1945 bis 1975. Neben der Schostakowitsch-Biographie des Krakauer Komponisten und Schostakowitsch-Freundes Krzysztof Meyer, die 1980 – erstmals ungekürzt – bei Reclam in

Dimitri Schostakowitsch mit dem Cellisten Mstislaw Rostropowitsch und dem Dirigenten Gennadi Roschdestwenski

Leipzig erscheinen konnte, bilden Sofia Chentowas Bücher eine Hauptquelle dieser Arbeit. Man findet hier eine Fülle sorgsam recherchierter Detailinformationen und oftmals auch Aussagen von einer Offenherzigkeit, die man von einer sowjetischen Publikation nicht selbstverständlich erwartete – etwa über Schostakowitschs wirtschaftliche Notlage nach den Parteibeschlüssen von 1948. Andererseits mußte und muß auch Sofia Chentowa – wie andere sowjetische Autoren, und das muß man sich als westlicher Leser ins Bewußtsein rufen – Tabus beachten, das heißt sie kann über die großen Konflikte und Erschütterungen im Leben Schostakowitschs nur in vorsichtigen Andeutungen berichten, vielleicht die eine oder andere wichtige Detailinformation dazu beitragen, sie aber nicht offen beim Namen nennen; den Reim muß sich der sowjetische Leser selber machen und wird es aus seiner Erfahrung vermutlich tun. Dabei ist es ihr offenbar eher möglich gewesen, aus der Regierungszeit Stalins oder selbst Chruschtschows heikle Dinge behutsam zu erwähnen – etwa die

Ermordung Tuchatschewskis oder selbst die Kampagne der sowjetischen Presse gegen die *XIII. Sinfonie* – als etwa jüngere Tabus aus der Regierungszeit Breschnews anzutasten. So fehlt außer dem Namen Nikita Chruschtschows, was vielleicht nicht weiter ins Gewicht fiele, auch der Name des ausgebürgerten Cellisten Mstislaw Rostropowitsch, dem Schostakowitsch seine beiden Cellokonzerte und seine Bearbeitung des Robert Schumannschen Cellokonzerts widmete, wie auch von dessen Frau, der Sängerin Galina Wischnewskaja völlig: Personen, die zu Schostakowitsch in enger künstlerischer Beziehung standen. Und im letzten, 1982 erschienenen Band sind Text und Namenregister um alle Erwähnungen des abtrünnigen Schostakowitsch-Sohnes Maxim bereinigt, als ob es ihn nie gegeben hätte: die Erwähnung des unter seiner Mitwirkung uraufgeführten *Concertino*, op. 94, wie auch des von ihm am 10. Mai 1957 uraufgeführten *II. Klavierkonzerts* erfolgen ohne Nennung seines Namens.

Diese Fakten mögen veranschaulichen, unter welch rigorosen Einschränkungen auch heute noch Geschichtsschreibung einschließlich der Musikgeschichtsschreibung in der Sowjet-Union vonstatten gehen kann. Eine Synthese der bei Volkov aufgezeichneten Äußerungen mit der fleißigen Detailarbeit von Sofia Chentova – dies könnte vielleicht die «ideale Biographie» Schostakowitschs ergeben. Dafür müßte aber sicherlich noch mehr Material der allgemeinen Kenntnis zur Verfügung stehen als das bis heute der Fall ist.

Für unsere Betrachtung ergibt sich die Frage, wenn «offizielles» und «privates» Leben eines Menschen so weit auseinanderzuklaffen scheinen (die Osteuropa-Forschung hat inzwischen den Begriff der «zweiten Ökonomie» und des «zweiten Lebens» geprägt), welches dann als «das eigentliche» anzusehen sei: die byzantinisch normierten offiziellen Deklarationen, in deren Hintergrund oft genug praktische Kämpfe um die Interessen der Musik standen, oder die vertrauten, unzensierten Äußerungen gegenüber Freunden. Das eine scheint so wichtig und «real» wie das andere; irreal und absurd allenfalls die Situation, die solche Diskrepanzen hervorbringt. Ich möchte in diesem Buch den tastenden Versuch unternehmen, das eine zu berücksichtigen, ohne das andere aus dem Auge zu verlieren, und zwar durchaus unter Klarstellung jener Aussagen, die heute in der Sowjet-Union oder in der DDR ganz offiziell erfolgen können.

Dank abzustatten habe ich für Auskünfte und vielfältige Hilfe den Damen Eveline Bartlitz, Sofia Chentowa, Dr. Valentina Cholopowa, Shirley Glade, Sophia Gubaidulina, Irina Schostakowitsch und Galina Schostakowitsch-Tschukowskaja, Dr. Renata Wagner, Dr. Grete Wehmeyer, den Herren Bernhard Bröhl, Dr. Juri Cholopow, Prof. Dimiter Christoff, Wolfang Cremer, Edison Denissow, Bojidar Dimow, Prof. Dr. Wolfgang Dömling, Dr. Hartmut Froesch, Dr. Wolfgang Goldhan, Prof. Michael Goldstein, LR Hermann Gründel, Werner Hecht, Dr. Christoph Hellmundt, Dr. Peter Hübner, Dr. Albrecht Knaus, Jürgen Köchel, Prof. Dr. Heinrich Lindlar, Dr. Heinrich von Lüttwitz, Prof. Dr. Ernst Hermann Meyer, Krzysztof Meyer, Wadim Panow, Maxim Schostakowitsch, LR Dr. Walter Schmid, Pfarrer Helmut Schmidt, H. G. Schneider, Prof. Dr. Boris Schwarz, Aljoscha Sebald, Viktor Suslin, Dr. H. Chr. Worbs und Fürst André Volkonsky.

Junger Mann in den zwanziger Jahren

Ein Komponist, der einer der ersten Autofahrer in Leningrad war und seine Frau beim Tennisspiel kennenlernte, resümierte 1927 in einem autobiographischen Abriß sein junges Leben:

... Bis zu jenem Zeitpunkt, als ich mit Musikunterricht begann, hatte ich auch keine Lust dazu geäußert. Ein gewisses Interesse für Musik hatte ich wohl schon verspürt. Wenn in der Nachbarschaft ein Streichquartett probte, legte ich das Ohr an die Wand und lauschte.

Meine Mutter, als sie das sah, bestand darauf, daß ich Klavierstunden nahm. Ich war gleichwohl ziemlich abgeneigt. Zwar war ich im Frühjahr 1915 das erste Mal im Theater gewesen. Es gab «Das Märchen vom Zaren Saltan». Mir gefiel die Oper, aber das änderte nichts an meiner Unlust, Musikunterricht zu nehmen.

«Zu bitter ist des Lernens Wurzel, als daß die Frucht der Mühe lohnt», dachte ich bei mir. Aber die Mutter bestand darauf, und im Sommer 1915 begann sie mir Klavierstunden zu geben. Die Sache lief sehr gut. Es zeigte sich, daß ich das absolute Gehör hatte und auch ein gutes Gedächtnis. Ich erfaßte die Noten sehr rasch, behielt sie schnell im Kopf und lernte sie ohne Mühe auswendig – wie von selbst. Ich war gut im Notenlesen. Da gab es dann auch bald die ersten Versuche, selber zu komponieren. Als sie sah, daß die Dinge gut liefen, beschloß die Mutter mich in die Musikschule von I. A. Glasser zu geben (der dann 1925 gestorben ist). Ich erinnere mich, wie ich in einem Prüfungsvorspiel beinahe die Hälfte der Stücke aus dem «Kinderalbum» von Tschaikowsky vortrug. Im nächsten Jahr (1916) kam ich in die Klasse von Glasser persönlich. Bis dahin war ich in der Klasse seiner Frau, Olga Glasser, gewesen. Bei ihm in der Klasse spielte ich dann Sonaten von Mozart, Haydn und im folgenden Jahr auch Fugen von Bach. Zu meinen Kompositionen verhielt sich Glasser sehr skeptisch und hat diese Art von Beschäftigung nicht ermutigt. Nichtsdestoweniger fuhr ich fort zu komponieren und habe damals sogar sehr viel komponiert. Im Februar 1917 wurde mir der Unterricht bei Glasser allmählich langweilig. Da beschloß die Mutter, mich und meine ältere Schwester einer Leningrader Konservatoriumsprofessorin, A. A. Rosanowa, vorzuführen, bei der sie selbst studiert hatte. Frau Rosanowa nahm uns als Schüler auf. Von 1917 bis 1919 nahm ich bei Frau Rosanowa Stunden, und im Herbst 1919 kam ich zu ihr in die Konservatoriumsklasse. Sie meinte, daß ich außer Klavier unbedingt auch Komposition studieren sollte. Eine mir ihr bekannte Mu-

siklehrerin empfahl mich zu diesem Ziel an G. Ju. Bruni, der Improvisation lehrte. Sie brachten mich zu Bruni. Bruni ließ mich am Klavier Platz nehmen und trug mir auf, einen «Blauen Walzer» zu improvisieren. Meine Improvisation gefiel ihm, und nun wollte er, daß ich etwas Östliches spielte. Das klappte nicht so ganz, aber trotzdem fand Bruni, ich hätte «Begabung», und er nahm mich unter seine Schüler auf. Die Stunden bei ihm verliefen folgendermaßen: Bruni wanderte im Zimmer umher und ließ mich improvisieren; wenn es ihm nicht gefiel, jagte er mich vom Stuhl und improvisierte selber. Dieser Unterricht dauerte über das Frühjahr bis zum Sommer 1919. Dann machte ich damit Schluß. Im Sommer 1919, als man meine hartnäckigen Versuche zu komponieren sah, brachte man mich zu Alexander K. Glasunow. Ich spielte ihm meine Werke vor, und Glasunow sagte, daß ich unbedingt Komposition studieren solle. Dieses Urteil von berufener Seite überzeugte meine Eltern, daß ich außer Klavier- auch Kompositionsunterricht haben müsse. Glasunow hatte geraten, daß ich ins Konservatorium eintreten solle. Einen Monat vor den Aufnahmeprüfungen dachte man daran, daß ich dafür auch Elementartheorie und Solfeggio vorbereiten müsse. Man brachte mich zum Professor A. A. Petrow, der mich auch in diesen Fächern trainierte. Dann führte man mich auch mit Professor Maximilian O. Steinberg zusammen, der, als er mich hörte, den Entschluß pries, ins Konservatorium einzutreten, und sofort einverstanden

Schostakowitschs Klavierlehrer Johann Glasser

Dimitri Schostakowitsch als Knabe, um 1918

war, mich in seine Klasse aufzunehmen. Im Herbst 1919 trat ich ins Konservatorium ein – in die Klavierklasse von A. A. Rosanowa und in die Kompositionsklasse von M. O. Steinberg. Im Herbst 1920 wechselte ich von der
Rosanowa in die Klasse von L. W. Nikolajew, bei dem ich das Konservatorium 1923 absolvierte. In der Kompositionsklasse absolvierte ich es 1925
bei Maximilian Steinberg. Bei ihm belegte ich auch Harmonielehre, Instrumentation, Fuge und Formenlehre. Bei A. A. Sokolow belegte ich Kontrapunkt und Fuge.

Jugendbildnis von Schostakowitsch, um 1923

Im Februar 1922 starb mein Vater. Meine Familie geriet dadurch in eine sehr schwierige materielle Lage; zu allem Überfluß erkrankte ich Anfang 1923 an einer Tuberkulose der Bronchien und Lymphdrüsen. Die Ärzte fanden es nötig, mich zur Kur auf die Krim zu schicken. Als ich zurückkam von der Krim, mußten wir mit Schulden fertig werden. Ende 1923 mußte ich deshalb Arbeit in einem Kino annehmen.

Aber um die zu bekommen, mußte ich eine Qualifikationsprüfung als Klavierillustrator bei der Gewerkschaft RABIS durchlaufen. Diese Prüfung ähnelte sehr meinem ersten Besuch bei Bruni. Zuerst sollte ich einen «Blauen Walzer» spielen, und danach etwas Östliches. Bei Bruni hatte ich nichts Östliches zustande gebracht, doch 1923 hatte ich inzwischen die

«Scheherazade» Rimski-Korsakows kennengelernt und «Orientale» von César Cui. Die Qualifikation hatte ein positives Resultat, und im November trat ich meine Arbeit im Kinotheater «Goldenes Band» an. Die Arbeit war sehr schwer, aber da wir zwei Pianisten waren, gelang es mir irgendwie, den Besuch von Konzert- und Theaterveranstaltungen mit dem Dienst zu vereinbaren. Da das «Goldene Band» mir im Laufe meiner zweimonatigen Tätigkeit nur einmal Gehalt zahlte, mußte ich dort weggehen, das ausstehende Gehalt vor Gericht einklagen und mir einen anderen Lebensunterhalt suchen. Die Suche dauerte bis Oktober 1924. Wiederum fand ich etwas der gleichen Art. Im Kinotheater «Splendid Palace» war der Pianist für zwei Monate in Urlaub gegangen. Ich wurde als sein Vertreter engagiert. Nach zwei Monaten war der Dienst zu Ende. Aber auch in diesen zwei Monaten konnte ich Konzerte besuchen, da wir zwei Pianisten waren. Endlich fand ich im Februar 1925 eine feste Anstellung im Kino «Picadilly». Zu dieser Zeit verfügte die Kinoverwaltung, daß beide Pianisten zu Beginn der Vorstellungen den Dienst antreten mußten und ihn erst zu Ende der Vorstellungen beenden durften, indem sie sich alle halbe Vorstellung abwechselten. Diese kluge Anordnung war vom Leben selbst diktiert. Ein Pianist wurde krank. Einen anderen gab es nicht, und es entstand ein Problem. Konzerte und Theatervorstellungen besuchte ich infolge dieser Anordnung nun nicht mehr. Dann ging ich selbst von dem Kino weg und bin bis heute nicht dorthin zurückgekehrt. Ich hoffe auch, daß ich nie dazu gezwungen sein werde.

Der Dienst in den Kinos paralysierte meine Schaffenskraft. Komponieren konnte ich überhaupt nicht mehr, und nur dann, wenn ich vollständig mit dem Kino aufhörte, konnte ich meine Arbeit weiterführen. Anfang 1925 nahm der Musiksektor des Staatsverlages meine «Drei phantastischen Tänze» zum Druck an, die Zwei Stücke für Streichoktett und meine Sinfonie. Die Sinfonie wurde am 12. Mai 1926 von der Leningrader Philharmonie unter Leitung von Nikolai Malko uraufgeführt. 1925 wurde ich als Aspirant der Abteilung Komposition am Leningrader Staatskonservatorium eingestellt.

Diese lapidare Autobiographie[1]* verfaßte der einundzwanzigjährige Komponist Dimitri Schostakowitsch im Jahre 1927. Gerade hatte er seine II. Sinfonie, *«Dem Oktober gewidmet»*, zum 10. Jahrestag der Oktober-Revolution fertiggestellt. Zwei Jahre zuvor hatte er als kompositorisches Wunderkind das Konservatorium seiner Heimatstadt mit seiner I. Sinfonie absolviert. Der französische Komponist Darius Milhaud hatte ihn von seiner Leningrader Konzertreise 1926 so in Erinnerung: «Ein junger Mann, dessen träumerische Augen sich hinter großen Brillengläsern verbargen, kam zu mir, um mir eine Symphonie zu zeigen, die trotz ihres ziemlich konventionellen Charakters in Form und Inhalt ausgesprochenes Talent, ja eine gewisse Größe verriet, besonders wenn man sich klarmachte, daß der Komponist, Schostakowitsch, erst achtzehn Jahre alt und noch Schüler am Konservatorium war.»[2]

---

* Die hochgestellten Ziffern verweisen auf die Anmerkungen S. 117f.

Milhaud war nicht der einzige berühmte westliche Künstler, der in jenen späten zwanziger Jahren in der Sowjet-Union gastierte. Die damalige Kulturpolitik, begründet von Lunatscharski, war auf Öffnung ausgerichtet; die Leningrader Konzertchronik verzeichnet aus jenen Jahren Gastspiele von Arthur Honegger und Paul Hindemith (mit dem Amar-Quartett), Dirigenten wie Ernest Ansermet, Hermann Abendroth, Bruno Walter, Otto Klemperer, Hans Knappertsbusch, Solisten wie Rudolf Serkin, Edwin Fischer oder Artur Schnabel. In Leningrad aufgeführt wurden Richard Strauss' «Salome», Franz Schrekers «Ferner Klang» und Alban Bergs «Wozzeck»[3], Schostakowitsch war selbst als Ausführender an der sowjetischen Erstaufführung von Strawinskys «Les Noces» beteiligt[4], er hörte zu, wie Nikolai Malko Schönbergs «Gurrelieder» probte, und lernte auf solche Weise Werke von Ernst Křenek und Béla Bartók kennen.[5] Er war *ziemlich stark beeindruckt von Komponisten wie Strawinsky, Prokofjew und – von den westlichen: Hindemith und Křenek*, von denen es am Konservatorium hieß, *dies sei überhaupt keine ernsthafte Musik*[6]. *Alle mir anerzogenen Vorurteile abstreifend, begann ich mit jugendlichem Enthusiasmus die musikalischen Neuerer zu studieren, und erst jetzt begriff ich: sie waren genial, besonders Strawinsky, dieser virtuose Kolorist und einsame Meister der Instrumentation. Erst jetzt fühlte ich, daß meine Hände nicht mehr gebunden waren, daß meine Begabung frei war von Routine.*[7] Für Schostakowitsch hatte hier ein Lebensabschnitt begonnen, der in der sowjetischen Literatur über ihn gewöhnlich als Zeit der «Krise», des nutzlosen Suchens und Experimentierens bezeichnet und einer späteren Zeit der «Reife» (ab der V. Sinfonie) gegenübergestellt wird.[8] Insbesondere seine Neigung zur musikalischen Satire und Groteske wurde als ein falscher, später korrigierter Weg angesehen. Mit seiner I. Klaviersonate, op. 12 (1926), hatte er ebenso wie mit seinen *Aphorismen*, op. 13 (1927) die Wege akademischer Traditionen in einem radikalen Bruch hinter sich gelassen, hatte «voraussetzungslose Musik» komponiert. Die *Aphorismen* hatten zum Bruch mit seinem ihm wohlwollenden Konservatoriumslehrer Maximilian Steinberg geführt: «Als Schostakowitsch mit seinen *Aphorismen* zu mir kam, sagte ich ihm, daß ich nichts davon verstände, daß die *Aphorismen* für mich absolut fremd seien. Nach dieser Begegnung besuchte mich Schostakowitsch nicht mehr.»[9] – Die Klaviersonate hatte er in seinem Gepäck, als er im Januar 1927 zusammen mit vier anderen jungen Pianisten – Lew Oborin, Grigori Ginsburg, Juri Brjuschkow und Josef Schwarz – zum Chopin-Wettbewerb nach Warschau entsandt wurde, auf seine erste Auslandsreise.[10] Der polnische Schriftsteller Jarosław Iwaszkiewicz erinnert sich an den Besuch der sowjetischen Pianisten in seinem Haus: «Sie waren vom Klavier nicht loszureißen, aber leider spielten sie nur Foxtrotts und zeigten sich gegenseitig verschiedene Kunststückchen. Nur Schostakowitsch spielte seine ‹Sonate›, eine Riesenmaschine im Prokofjewschen Stil ... Für mich blieb Schostakowitsch lange Zeit der Komponist jener ‹Riesenmaschine› ... die er bei uns auf Wunsch meines Schwiegervaters zweimal spielte, wobei er die Saite des tiefen D unseres alten Bechsteins stark ramponierte.»[11]

Schostakowitsch, von einer Blinddarmreizung geplagt, errang bei diesem Wettbewerb keinen Preis. Es erscheint auch eher zweifelhaft, ob er ein typischer Chopin-Spieler im romantischen Sinne war. Zeitgenossen berichten übereinstimmend über den «charakteristischen, etwas trockenen Anschlag seines Spiels ... In seiner Interpretation gibt es selten Rubati, kaum romantische Kantilenen. Ungern spielte er Debussy und Ravel, am liebsten Bach, Beethoven und Liszt, denn vom Kompositorischen her interessierten ihn diese am meisten.»[12] Einige Konservatoriumslehrer bemängelten an seinen Interpretationen romantischer Werke einen nur allmählich auftauenden «Skeptizismus»[13].

«Skeptizismus» war eine Grundtendenz jener Zeit, deren Kind und deren Vertreter Schostakowitsch in besonderer Bewußtheit war: einer Zeit, die nach dem romantischen Überschwang, wie sie dem Symbolismus und selbst noch dem frühen Futurismus eigen war, zur entgegengesetzten Wertvorstellung des Understatement gefunden hatte, zu Maßstäben des Objektiven und Überindividuellen, einer Zeit, die dem Psychologischen und Subjektiven mißtraute und den Kunstbegriff selbst entwertete, zumindest den herkömmlichen. Die zitierte Autobiographie ist insofern ein typisches Dokument der zwanziger Jahre: Schostakowitsch stilisiert sich hier als Künstler ohne Aura.

Während die Neutöner der Generation zuvor, wie der 1881 geborene Zwölfton-Komponist Nikolai A. Roslavetz, noch 1913 ihr «eigenes, inneres Ich ausdrücken» wollten, «welches von neuen, unerhörten Klangwelten träumte»[14], während noch der Futurist Arthur Lourié, unter Lenin und Lunatscharski erster «Musikkommissar» des jungen Sowjetstaates, die ekstatisch-mystischen Verse des symbolistischen Dichters Alexander Blok vertont hatte[15] und während die Neue Musik der frühen zwanziger Jahre noch gänzlich unter dem Einfluß Skrjabins stand, komponierte nun der 1899 geborene Alexander Mossolow «Lieder auf Zeitungsannoncen» – Inserate aus der «Prawda», in denen ein entlaufener Hund gesucht, Blutegel angepriesen werden, jemand seinen Namen ändern will und ein Kammerjäger seine Dienste offeriert –[16] oder sang in seinem Orchesterstück «Zavod» [Die Eisengießerei] das Hohelied der Maschine.[17] Als Beispiel dafür, welch geradezu eschatologischen Wert die Schwerkraft und Traditionen überwindende «Technik» für die Generation um Schostakowitsch verkörperte, sei ein Gedicht von W. Kamenski zitiert, das in der September-Nummer 1927 der Zeitschrift «Musik und Revolution» übrigens ablehnend diskutiert wurde[18], hier in deutscher Nachdichtung: Ich fliege über den See / Geflogenheit vollzieh ich / Ein flügger Geist / Fliegt mit mir. / Im Flug der Gedanken / Überblicke ich Jahre / Flüchtiger Blick ist tief / Kurstreu und beharrlich. / Der flimmernde Ozean ist breit / Die rechte Flugfreude / Verfliegt flugs / Wie der flüchtige Frühling.»

In dieser Künstlergeneration, mit der man in Deutschland die Bewegung des «Bauhauses» vergleichen könnte, konstruierte der Maler Wladimir Tatlin, neben seinem berühmten «Turm» und anderen ausdrucksstarken Konstruktionen, als Symbol und Emblem einen Flugapparat, genannt «Letatlin» (Wortspiel zum russischen «Letet» = Fliegen).[19]

Stadtplan von St. Petersburg um 1912

Wirklich hatte die Idee der nachfuturistischen Kunst, der «Neuen Sachlichkeit», wie sie sich um die Mitte der zwanziger Jahre auch in der russischen Musik mit der Wucht eines Naturereignisses Bahn brach, etwas gemeinsam mit einer Sicht vom Flugzeug aus: Aus dieser Perspektive werden die Giebel und Winkel einer Stadt unwichtig – wichtig wird ihre Größe, sichtbar werden ihre Verkehrsadern. Es ist nicht mehr auszumachen, was ein Mensch spricht – nur noch, daß er spricht und wie er sich bewegt (eine Grundidee des «biomechanischen» Theaters bei Wsewolod Meyerhold – und bei Bertolt Brecht). Der Gegenstand früherer Kunst wurde berechnet nach seinem «Materialwert», wie es Brecht einmal formulierte[20], an Stelle der Inhalte wurde der Körper der künstlerischen Äußerung entscheidend, in der Musik die Tonhöhen, Klangfarben, Intonationsweisen, die Häufung oder Vereinzelung des klingenden Materials – was wir heute «Parameter» nennen.

Die II. und III. Sinfonie von Schostakowitsch gewinnen in diesem Sinne ihre Struktur allein aus Parametern – thematische Wiederholungen finden nicht statt; es handelt sich um rein «epische Sinfonien».

Die Kehrseite dieser Philosophie war das Desinteresse am Individualschicksal, die Nichtswürdigkeit der Person vor dem Kollektiv, die Faszination der Mehrheit, die Verführung der großen Zahl – die Minderheit wurde zur quantité néglégeable, auf deren Vernichtung es schließlich nicht ankommen sollte. Symbol für Realität, Kraft und Wirklichkeit wurde die Maschine. Dominierend in der Architektur wurden das große Stadion und der Wolkenkratzer. Dem entsprachen die monumentalen und sportlichen Formen in der Musik, das neuerwachte Interesse am Banalen und Unterhaltsamen, die Freude am wiederentdeckten Bekannten, die den musikalischen Neoklassizismus prägen sollten. *Wenn das Publikum während der Aufführung meiner Werke lächelt oder direkt lacht, bereitet mir das eine große Befriedigung* [21], äußerte Schostakowitsch einmal in den dreißiger Jahren. Seit frühester Jugend hatte er sich für Fußball begeistert und führte ein Heft, in das er in der Reihenfolge ihres Entstehens seine Kompositionen eintrug, und gleichzeitig, im gleichen Heft zwischen dem Verzeichnis der Werke, notierte er sich sorgfältig die Ergebnisse der Fußballmeisterschaften, berichtet Krzysztof Meyer. [22] Auch später liebte es Schostakowitsch in den Sommermonaten, wenn seine Familie verreist war, in der Stadtwohnung zu bleiben und sich Fußballspiele anzusehen, und bis ins hohe Alter verfolgte er sie im Fernsehen; er reiste auch den Leningrader Mannschaften «Dynamo» und «Zenith» fast zu allen

*Wladimir Majakowski, Wsewolod Meyerhold, Alexander Rodtschenko und
Dimitri Schostakowitsch bei Proben zu Meyerholds Schauspiel «Die Wanze»*

Das Geburtshaus von Dimitri Schostakowitsch in der Uliza Podolskaja, St. Petersburg / Leningrad

Im St. Petersburger «Amt für Maße und Gewichte», gegenüber dem Geburtshaus, arbeitete der Vater Dimitri Schostakowitschs als Naturwissenschaftler

Spielen bis nach Moskau nach, wo ihm Komponisten-Kollegen wie Wissarion Schebalin Eintrittskarten besorgen mußten. Am Spiel faszinierten ihn die ästhetischen Qualitäten; dieses Interesse fand seinen Niederschlag in seinem «Fußball-Ballett» *Das goldene Zeitalter.*[23]

Schostakowitsch hat in seinen Werken der späten zwanziger und frühen dreißiger Jahre alle Varianten solcher «neuen Unterhaltsamkeit» der zeitgenössischen Musikszene ausgekostet. Als 1938 ein sowjetisches Jazzorchester gegründet wurde, schrieb er dafür Kompositionen – mit seinem Leiter Matwej Blanter verband ihn außerdem sein Fußball-Enthusiasmus.[24]

Zugleich aber war er – so konsequent wie Strawinsky oder der 1922 emigrierte Lourié – darauf aus, neue musikalische Baupläne zu entwikkeln. Der revolutionäre Anspruch, Kunst und Leben zu vereinigen (so hatte es schon 1911 der Architekt El Lissitzky formuliert[25]), ließ ihn in dieser Hinsicht alle Traditionen in Frage stellen.

Die zwanziger Jahre haben in Rußland (und anderswo) eine Umwälzung in der Ästhetik zustande gebracht, wie sie in diesem Jahrhundert wohl nie wieder stattgefunden hat – vergleichbar dem Rousseauschen «Zurück zur Natur», dem Beginn der Aufklärung. Die Stilwende bestand nicht in der Entwicklung neuer Akkorde und Rhythmen, sondern darin, daß die Faszination der Generation um 1925 andere waren als die der Generation um 1914. Jene hatte die Illusion geliebt, diese liebte die Illusionslosigkeit. Die erste Generation sowjetischer Künstler hatte an die Revolution geglaubt und sie vergöttert. (Dem Rausch folgte oft die Ernüchterung, die Emigration). Die zweite, zu der Schostakowitsch gehörte, fand ihre Ergebnisse vor und mußte damit fertig werden, sie mußte sehen, das Beste daraus zu machen.

Eigentlich war er nicht der Typ des «futuristischen Kraftmenschen», wie er in der Oper «Der Sieg über die Sonne» von Nikolaj Matjuschin nach Texten von Dimitri Krutschonych 1913 auf die Petersburger Bühne trat[26]; eher als den Genieprotz verkörperte er den korrekten Bildungsbürger, wie er von den Futuristen verachtet wurde – der den Frieden mit der Gesellschaft sucht, nicht ohne auf seine Rechte zu pochen. Im Verkehr mit leibhaftigen Futuristen wie dem Dichter Wladimir Majakowski beeindruckten Schostakowitsch ganz andere Momente als die landläufig als futuristisch betrachteten. (Obwohl er sich mündlich wesentlich kritischer über Majakowski äußerte, dessen Arroganz er beklagte, sei die folgende publizierte Äußerung zitiert, insofern sie am Ende mehr über Schostakowitsch als über Majakowski aussagt[27]:)

Anfang 1929 schlug mir Wsewolod Emiljetisch Meyerhold, der «Die Wanze» inszenierte, vor, daß ich die Musik dazu schreiben solle. Ich machte mich mit großem Vergnügen an die Arbeit. Bei den Proben wurde ich mit Majakowski bekannt … Ich hatte erwartet, einem bestimmten Menschen zu begegnen, und ich traf einen anderen. Ich war so naiv gewesen, anzunehmen, daß Majakowski im Leben, im täglichen Umgang derselbe sein müsse wie auf der Tribüne, und dem war ganz und gar nicht so. Majakowski überraschte mich durch seine Sanftheit, seine Umgänglichkeit, durch seine einfach sehr gute Erziehung, und mir gefiel das sehr. Er war ein sehr weichherziger, angenehmer, aufmerksamer Mensch. Er liebte mehr das Zuhören als das Reden. Man hätte denken sollen, daß er hätte etwas sagen und ich ihm hätte zuhören sollen, aber es kam ganz umgekehrt.

Es kam zu mehreren Gesprächen mit Majakowski über meine Musik zur «Wanze». Ich muß sagen, daß das erste einen etwas seltsamen Eindruck auf mich machte. Majakowski fragte mich: «Lieben Sie Feuerwehrkapellen?» Ich sagte, daß ich sie manchmal liebte, manchmal nicht. Aber Majakowski sagte, daß er sie über alles liebe und daß ich für die «Wanze» doch solche Musik schreiben solle, die eine Feuerwehrkapelle spielen könne.

Dieser Ausspruch hat mich zunächst ganz schön verblüfft, aber später begriff ich, daß ein komplizierterer Gedanke dahintersteckte. In den folgenden Gesprächen wurde klar, daß Majakowski nicht nur die Musik der Feuerwehrkapellen liebte, sondern sehr gern Chopin, Liszt und Skrjabin hörte. Er war nur der Meinung, daß die Musik einer Feuerwehrkapelle im wesentlichen dem Charakter des I. Aktes seiner Komödie entspräche, und um sich umständliche Erklärungen zu sparen, benutzte er den kurzen Terminus «Feuerwehrkapelle», und ich verstand . . .

Die polnischen Vorfahren von Schostakowitsch stammten aus Wilna, von wo sie wegen der Teilnahme am Aufstand von 1831 ins Gouvernement Perm verbannt worden waren. Sein Großvater, Bolesław Szostakowicz, ist dort geboren; später zog die Familie nach Jekaterinenburg und Kasan, wo Bolesław an der Universität in revolutionäre Zirkel geriet. Auch seine spätere Frau, Barbara Gawrilowna Kalistowa, stand in Kontakt mit den russischen «revolutionären Demokraten». 1864 organisierten Bolesław und seine Freunde im «polnischen Zirkel» die Flucht des eingekerkerten polnischen Revolutionärs Jarosław Dąbrowski ins Ausland. 1866 kam dies, durch Fahndungen nach dem Attentat auf den Zaren Alexander II., ans Licht, und Bolesław Szostakowicz wurde nach Sibirien verbannt. Auch dort, in Tobolsk, ließ er nicht von der konspirativen Tätigkeit, weswegen er 1873 unter verschärfte Aufsicht gestellt und weiter nach Narym verbannt wurde, in den Polizeiakten als besonders unzuverlässiges Element geführt. Nach fünf Jahren erreichte er gewisse Erleichterungen der Bewegungsfreiheit, wurde in Irkutsk ansässig und gelangte als Bankkaufmann zu beruflichen Erfolgen. Erst als Fünfzigjähriger erlangte er wieder das Recht der unbeschränkten Ansiedelung, entschloß sich aber in Sibirien zu bleiben. Seine Söhne studierten Naturwissenschaften; der eine, Wladimir, wurde zu einem wesentlichen Begründer der Meteorologie in Sibirien; Dimitri, der Vater des Komponisten, blieb nach Studien an der dortigen Mathematisch-Physikalischen Fakultät in St. Petersburg, wo er eine Anstellung an dem von Dimitri Mendelejew begründeten Hauptamt für Maße und Gewichte erhielt. Seine Freunde waren meist sibirischer Herkunft, so die Familien Łukasiewicz, die ebenfalls polnischer Abkunft war (die Schriftstellerin Claudia Łukasiewicz war in Sibirien mit seinem Vater bekannt und sollte zur Mäzenin des jungen Dimitri werden), und die Familie Kokoulin – der Vater dereinst Goldgräber in der

Der Vater: Dimitri Boleslawowitsch Schostakowitsch

jakutischen Taiga, eine der Töchter verbunden mit einem Verbannten-schicksal. Eine andere der Töchter – Sofia – unter den Fittichen von Clau-dia Łukasiewicz Studentin am Petersburger Konservatorium in der Kla-vierklasse von Alexandra Rosanowa, wurde die Frau Dimitri Boleslawo-witschs, die Mutter Dimitri Schostakowitschs.

In dieser 1902 geschlossenen Ehe – Mendelejew war hierbei Trauzeuge – kam Dimitri Dimitrijewitsch Schostakowitsch am 12. September (25. neuer Zeitrechnung) 1906 als zweites Kind zur Welt – es gab noch eine ältere Schwester Soja und eine jüngere Schwester Maria.[28]

Der Verbindung zu polnischen Revolutionären sollte Schostakowitsch noch später treu bleiben: die Mutter seiner ersten Frau, Nina Wassiljewna Warsar, die er am 13. Mai 1932 heiratete, war eine geborene Dąbrowska, Nachfahrin jenes Revolutionärs (und späteren Kommandeurs der Pariser Commune) Jarosław Dąbrowski, dem der Großvater Schostakowitschs zur Flucht verholfen hatte.[29]

Die Mutter: Sofia Wassiljewna geb. Kokoulin, mit ihren Kindern Dimitri, Soja und Maria

Interesse für Musik zeigte sich bei Dimitri in frühester Kindheit; wenngleich er dies in seiner Autobiographie eher ironisch untertrieb, berichtete er anderwärts, wie er als Dreijähriger «buchstäblich an der Tür klebte», wenn aus der Nachbarwohnung Musik herüberdrang.[30] Aber auch in der eigenen Familie wurde musiziert: der Vater sang, spielte Klavier und Gitarre; Schostakowitsch erinnerte sich mit Vorliebe an Zigeunerromanzen, doch auch an «jede Note aus Tschaikowskys ‹Eugen Onegin›». Die ersten Klavierstunden erhielt er von der Mutter, die dabei weniger nach einem System oder einer Methode vorging als nach Instinkt und Intuition.[32] Erster Kompositionsversuch war ein Klavierpoem *Der Soldat* ... *«ein sehr langes Stück, voller illustrativer Details und Erläuterungen in Worten (z. B. ‹an dieser Stelle schoß der Soldat› usw.»)*, das der Neunjährige 1915 unter dem Eindruck der Kriegsnachrichten verfaßte.[33] Der Unterricht bei Glasser, einem Freund von Ignacy Paderewski, der in

Polen geboren war und in Deutschland bei Karl Klindworth, Theodor Kullak und Hans von Bülow studiert hatte, begann 1916.[34]

Zu den prägenden Kindheitseindrücken gehörten Begegnungen mit Claudia Łukasiewicz, die ihn zur Lektüre anhielt[35], und mit dem Maler Boris Michailowitsch Kustodiew, von dem einige Jugendbildnisse Schostakowitschs stammen. Durch dessen Tochter, seine Schulkameradin, in die Familie eingeführt, improvisierte er dort gelegentlich auf dem Klavier, und Kustodiew war der erste, der die Eigentümlichkeit seiner schöpferischen Begabung erkannte. Das Bühnenbild seiner Oper *Die Lady Macbeth von Mzensk* in der Moskauer Inszenierung von V. V. Dmitriew sollte später dem Gemälde «Die Kaufmannshochzeit» von Kustodiew nachgebildet sein.[36]

Dimitri hatte ursprünglich die Handelsschule besucht. Als klar wurde, daß er nicht, wie sein Vater, Ingenieur werden würde, schickten ihn die Eltern schließlich auf die 108. «Arbeitsschule» (Realschule) um die Ecke, die auch seine Schwester besuchte – unter der Leitung von Maria Nikolajewna Stojunina, einer hochgebildeten, mit der Witwe Dostojewskis befreundeten Pädagogin, die besonderen Wert auf die musische Erziehung ihrer Schüler legte, Konzerte veranstaltete und ihnen in Exkursionen die Stadt Puschkins, Gogols, Dostojewskis und Alexander Bloks nahezubringen versuchte.[37]

In diese Kindheit fallen die Eindrücke vom Revolutionsjahr 1917. Im Februar gesellt sich der Bolschewik Maxim Lawrentjewitsch Kostrikin zur Familie, aus dem Gefängnis in Krasnojar entwichen. (Großvater Bo-

Dimitri Schostakowitsch mit seinen Schwestern Soja und Maria

Die Ehefrau Dimitri Schostakowitschs, Nina Wassiljewna geb. Warsar

lesław in Irkutsk hat ihm zu falschen Papieren verholfen.) Er verliebt sich in die jüngere Schwester des Vaters, Maria, und heiratet sie. Kostrikin berichtet über Wladimir Iljitsch Uljanow, genannt Lenin, von dem übrigens die Großmutter schon viel erzählt hatte, denn ihre Familien waren in Nishni Nowgorod Nachbarn, und als dieser dann am 3. April in Petrograd eintrifft, spätabends an einem Osterfeiertag, nimmt der Onkel Maxim den Neffen Dimitri an der Hand und pilgert mit ihm zum Finnischen Bahnhof, um dem historischen Ereignis beizuwohnen.[38] Im Juli wird bei einer Demonstration auf dem Newski-Prospekt vor Dimitris Augen ein

Junge getötet. Tagelang kommt er nicht von dem Ereignis los, komponiert schließlich einen *Trauermarsch zum Gedenken an die Opfer der Revolution*. Zehn Jahre später, in der II. Sinfonie, wird er darauf zurückkommen.[39]

Im übrigen vollzog sich der Machtwechsel im Oktober 1917 lautlos und ohne Blutvergießen, als souverän geführter militärischer Staatsstreich, der am äußeren Leben der Gesellschaft zunächst wenig änderte.[40] Die Theater spielten weiter, der Schulbetrieb war nicht unterbrochen. Schostakowitsch wechselte seine musikalischen Lehrer aus keinem anderen Grund als weil es ihm in der Klavierstunde Glassers *langweilig* geworden war, und schickte sich an, den Sprung aufs Konservatorium zu schaffen, während er weiterhin die Schule besuchte (er absolvierte sie erst als Student des Konservatoriums).

Zwei Jahre später hatte der den Sprung geschafft: als Klavierschüler von Alexandra Rosanowa, die ihn zwei Jahre bis dahin unterrichtet hatte, einer ausgezeichneten Kennerin der französischen Musik und – Literatur[41], und zugleich als Kompositionsschüler von Maximilian Ossejewitsch Steinberg, dem Schwiegersohn von Nikolai Rimski-Korsakow. Er war gerade dreizehn Jahre geworden und erfreute sich der besonderen Sympathie und Förderung des Rektors, Alexander Glasunow.[42] Das war wich-

Dimitri Schostakowitsch mit seiner Tochter Galina

*Dimitri Schostakowitsch
im Jahre 1915*

tig, denn inzwischen hatten die Hungerjahre des Bürgerkrieges und der Inflation begonnen. Glasunow bemühte sich in Gesprächen mit Maxim Gorki, Schostakowitsch ein Stipendium zu besorgen, überliefert der Schriftsteller Viktor Schklowski[43]:

«Wir brauchen ein Stipendium, sagt Glasunow. Obwohl unser Kandidat sehr jung ist. Jahrgang 1906.

Ein Geiger? Sie entwickeln sich früh. Oder ein Pianist?

Ein Komponist.

Wie alt ist er?

Fünfzehn. Sohn einer Musiklehrerin. Er spielt während der Vorstellungen im Kino ‹Selekt›. Neulich brannte unter ihm der Fußboden, und er spielte weiter, damit keine Panik aufkam – aber das tut nichts zur Sache. Er ist Komponist. Er hat mir seine Werke gezeigt.

Gefallen sie Ihnen?

Sie sind abscheulich. Es ist die erste Musik, die ich nicht höre, wenn ich die Partitur lese.

Weshalb sind Sie dann gekommen?

Mir gefällt sie nicht, aber das tut nichts zur Sache – die Zeit gehört diesem Jungen, und nicht mir. Mir gefällt sie nicht, aber was tut das? Es ist sehr bedauerlich. Aber das wird auch Musik sein. Man muß ihm ein Stipendium verschaffen ...»

Darum hatte sich auch schon Claudia Łukasiewicz in einem Brief vom 16. August 1921 an den Kultusminister Lunatscharski bemüht: «Mitja Schostakowitsch, den ich seit seiner Geburt kenne, hat einen sanftmütigen, dankbaren Charakter, eine hohe Gesinnung und kindlich reine Seele ... Sein talentierter Kopf arbeitet unausgesetzt und überdurchschnittlich. Ich bitte Sie nochmals inständig, Ihre Aufmerksamkeit diesem außergewöhnlichen Talent zu widmen. Es kann sich nicht entfalten ohne eine grundsätzliche Hilfe – und zwar hinsichtlich des baren Lebensunterhalts ...»[44]

In diesen Inflationsjahren kostete ein Kilo Brot 24 000 Rubel, Graupen 55 000, ein Kilo Butter 370 000. Die Mutter gab Unterricht für Brot, Familieneigentum wurde veräußert. Den Blockadewinter schildert Viktor Schklowski (einer der maßgeblichen russischen «Formalisten» und «Serapionsbrüder von Petrograd») am Beispiel der notleidenden Petersburger

Der Dichter und Kulturpolitiker Maxim Gorki

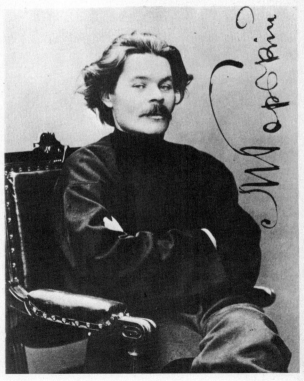

Der Komponist Alexander Glasunow, Rektor des Petrograder Konservatoriums

Tiere; und er zeigt damit gleichzeitig etwas von der Mentalität der Einwohner, ihrer sprichwörtlichen «Petersburger Erziehung», die auch für Schostakowitsch zeitlebens verpflichtend und prägend blieb:

«Die Kälte drang in die Hausmauern ein und ging durch bis auf die Tapeten. Die Menschen schliefen in Mänteln und fast in Galoschen. Alles versammelte sich in der Küche; in den verlassenen Zimmern bildeten sich Stalaktiten. Die Menschen rückten eng zusammen und drängten sich in der halbleeren Stadt wie Ölsardinen aneinander. Die Geistlichen in den Kirchen hielten den Gottesdienst in Handschuhen ab und trugen Pelzmäntel unter den Meßgewändern. Kranke Schulkinder erfroren. Der Polarkreis war Wirklichkeit geworden, er verlief ungefähr durch den Newski-Prospekt ...

... ein gestürztes Pferd steht selten wieder auf. Es fällt und bleibt liegen. Man legt ihm Heu hin; am ersten Tag frißt es ein bißchen, dann liegt es unbeweglich daneben; es kann den Kopf nicht mehr heben. Und dann kommen die Hunde.

Die Hunde zerreißen kein totes Pferd. Sie sind ungeschickte Petersburger Hunde; die Kunst, Fleisch zu zerreißen, haben sie verlernt. Zuerst schneiden die Menschen heimlich ein paar Stücke aus dem Kadaver heraus, und dann verbeißen sich die entzückten Hunde in das Fleisch . . . Die Pferdeknochen, die den ganzen Winter am Ende der Jamskaja lagen, erinnerten mich an Karawanenstraßen: dort liegen die Knochen noch dichter.

Den Katzen ging es noch schlechter. Ich habe keine Katze auf Kadavern gesehen, aber als ich einmal zu einem Bekannten ging, sah ich eine Katze vor seiner Tür. Sie stand da und wartete. Sie sah mager, aber korrekt aus. Ich weiß nicht, welche Beziehungen sie zu dem Hause hatte, vor dessen Tür sie wartete. Als ich nach einer knappen Stunde wieder herauskam, lag die Katze auf der Seite, ganz ruhig, aber tot.»[45]

Schostakowitsch erhielt schließlich für die Dauer seines Studiums ein

Der Komponist der I. Sinfonie

Das Konservatorium in St. Petersburg / Petrograd / Leningrad

Stipendium aus dem Borodin-Fonds.[46] Das Studium machte Schostakowitsch Spaß. «Erstaunlich, daß sich in dieser Krisenzeit, als sich der Riß zwischen schulischer Lehre und kompositorischer Praxis bis zum äußersten zuspitzte, Mitja Schostakowitsch ‹wie ein Fisch im Wasser› fühlte. Die schulische Dogmatik störte ihn überhaupt nicht. Gekonnt steuerte er sein Schiff zwischen Skylla und Charybdis klug an allen Hindernissen vorbei und suchte sich das heraus, was vernünftig und für ihn nützlich war. Und das ohne einen sichtbaren Kampf – systematisch, planmäßig und beharrlich erreichte er ein hohes fachliches Niveau.»[47]

Ich lernte mit Leidenschaft und Enthusiasmus, erinnerte sich Schostakowitsch. *Wissensdurstig eignete ich mir alles an, was mir Steinberg beizubringen versuchte; wie ein Schwamm nahm ich seine Ratschläge und Bemerkungen auf.*[48] Diese Bewunderung fand freilich ihre Grenzen in der Selbständigkeit des jungen Komponisten. Noch am Konservatorium entstand seine I. Sinfonie, ein geniales, vollendetes, heiteres Stück in Mozartschem Geiste, nicht ohne ironische Züge, das seinen internationalen Ruhm auf der Stelle begründete. Es war seine Prüfungsarbeit – Glasunow schlug ihm Verbesserungen vor, die auf die harmonische Glättung einer

wichtigen Trompetenstelle hinausliefen. Schostakowitsch hatte sie «linear» komponiert, und Glasunow wollte eine «klangliche» Lösung.

Natürlich hatte ich nicht den Mut, mit ihm zu streiten; meine Hochachtung und Zuneigung für ihn waren sehr groß, und seine Autorität unterlag keinem Zweifel. Später jedoch, bereits vor der Aufführung der Sinfonie und vor dem Druck der Partitur, ließ ich meine Version stehen, womit ich bei Alexander Konstantinowitsch starken Unwillen erregte.[49]

Die Sinfonie wurde am 12. Mai 1926 unter Leitung von Nikolai Malko im großen Saal der Leningrader Philharmonie uraufgeführt. Am 5. Mai 1927 dirigierte sie Bruno Walter in Berlin, am 2. November 1928 Leopold Stokowski in Philadelphia und Arthur Rodzinski in New York. Malko leitete Aufführungen in Charkow, Kislowodsk und Baku (12. Juli, 14. und 30. August 1926) und ging mit dem Werk 1928 auf Südamerika-Tournee; seit 1931 nahm sie Arturo Toscanini in sein Repertoire auf.[50] In der Nacht der Uraufführung notierte Malko: «Ich habe das Gefühl, daß ich eine neue Seite in der Geschichte der Sinfonik aufgeschlagen und einen neuen großen Komponisten entdeckt habe.»[51]

Probleme

Malko versuchte die Sinfonie auch in Moskau unterzubringen – anfängliche Widerstände zu überwinden half die «Assoziation für Zeitgenössische Musik», die im Winter 1926 eine Aufführung zusammen mit Werken von Julia Weisberg und Josef Schillinger durchsetzte.[52] Diese «Associacija Sovremennoj Muzyki», abgekürzt ASM, um die sich in den späten zwanziger Jahren die namhaftesten sowjetischen Komponisten gruppierten, war im November 1923 im Rahmen der Staatlichen Akademie für Kunstwissenschaften von Viktor Beljajew, Vladimir Dershanowski und Leonid Sabanejew zusammen mit anderen Komponisten, Interpreten und Musikwissenschaftlern gegründet worden und versah zugleich die Funktion einer sowjetischen Sektion der Internationalen Gesellschaft für Neue Musik. Ihre Verdienste um die moderne Musik der zwanziger Jahre, auch um die Öffnung zur westlichen Moderne, sind beträchtlich (obschon sie in der sowjetischen Musikliteratur noch immer hauptsächlich angefeindet wird); sie veranstaltete Konzerte, gab Zeitschriften, Handbücher und Monographien heraus, hatte weitreichenden Einfluß auf die Konzert- und Verlagsprogramme und bemühte sich um die Propagierung der sowjetischen Neuen Musik im Ausland. 1929 wurde sie zur «Allrussischen Gesellschaft für Zeitgenössische Musik» umgewandelt, 1932 mit anderen Musikorganisationen im neugegründeten «Sowjetischen Komponistenverband» gleichgeschaltet.[53]

Wenn Schostakowitsch, so konsequent wie kaum sonst ein Komponist in Rußland, die neuen stilistischen Ideen der zwanziger Jahre in seiner Musik realisierte – eine «neue Linearität» an Stelle einer vorangegangenen raffinierten Klanglichkeit, einen neuen, skeptischen Kritizismus an Stelle romantischen Überschwangs, einer respektlosen «Antitonalität» an Stelle einer vorangegangenen, kunstvollen Atonalität –, dann bewegte er sich damit nicht allein in den Eigenheiten seines persönlichen Gedankensystems, sondern gleichsam auf der Hochfläche einer Entwicklung der russischen Kultur, die seit 1905 nicht nur in der Literatur, sondern auch in der Musik ihr «silbernes Zeitalter» erlebte und in den Jahren um 1914 an der Spitze der künstlerischen Entwicklungen Europas stand. Neben Schostakowitsch sind drei weitere Komponisten von epochaler Bedeutung – Skrjabin, Strawinsky und Prokofjew – in Rußland innerhalb einer Generation geboren und aufgewachsen.

Sein kompositorischer Aufbruch geschah in einer Epoche kompositori-

*Der Komponist Nikolai Andrejewitsch Roslavetz, Vor-
kämpfer der Neuen Musik in den zwanziger Jahren*

scher Aufbrüche. Die hochdifferenzierten, immer höher gezüchteten al-
terierten Akkorde der spätromantischen Harmonik hatten in Rußland
schon in den Jahren nach 1910 in einer Art «dialektischen Umschlags» zu
neuen nicht mehr tonalen, das heißt atonalen oder mikrotonalen Ordnun-
gen geführt. Um 1912 komponierten Alexander Skrjabin in Moskau und
Arthur Lourié in St. Petersburg die ersten Zwölfton-Komplexe. 1915 entwickelte Nikolai Obuchow eine eigene Zwölfton-Notenschrift. In den
Jahren 1913 bis 1915 arbeitete Nikolai Roslavetz auf der Basis zwölftönig
geordneter Klangkomplexe sein «neues System der Tonorganisation»
aus. Auch das Prinzip der symmetrischen Tonreihe bzw. Tonkomplex-
reihe findet sich damals schon bei ihm und bei Lourié, der in seinen «Formen in der Luft» [54] bereits 1915 das Urbild einer «graphischen Komposition» aufbrachte und in der Futuristenzeitschrift «Streljez» [Der Bogen-
schütze] für eine Viertelton-Notenschrift plädiert. [55] Der Gedanke der
Musik in Mikrointervallen war noch im Umkreis Skrjabins aktuell geworden – sein Bewunderer Iwan Wyschnegradsky (1893–1979) fand in der

Pariser Emigration hierin den Ansatz seines kompositorischen Lebenswerks in Vierteltönen und kleineren Intervallen und seiner Idee «nichtoktavierender Tonräume». Doch auch in der Sowjet-Union wurde diese Idee weiterverfolgt: Arseni Awraamow experimentierte um 1924 mit einer achtundvierzigstufigen Oktavunterteilung auf Volksinstrumenten[57]; der Musiktheoretiker und Komponist Georgi Rimski-Korsakow, ein Enkel des Opernkomponisten Nikolai Rimski-Korsakow, gründete ein Ensemble für Vierteltonmusik, mit dem er 1927 im Leningrader Staatlichen Institut für Musikwissenschaft Konzerte gab.[58] Die russische Musiktheorie ging gleichermaßen unkonventionelle Wege: die Theorie der «Metrotektonik» von Georgi Konjus eröffnete nicht nur der Formanalyse neue Bahnen, sondern offenbar auch neuen kompositorischen Überlegungen hinsichtlich des Formbaus. Eine ähnliche Umsetzung theoretischer Erwägungen in kompositorische Praxis geschah mit der «Gravitationstheorie» von Bolesław Jaworski (1877–1942), die alles harmonische Geschehen aus der «Schwerkraft» des Tritonus (der übermäßigen Quarte oder verminderten Quinte) und seinem Bestreben erklärt, sich in die nächstgelegene Terz- oder Sextkonsonanz aufzulösen[59], und die unter anderem aus den dur-moll-fremden Skalen der russischen Volksmusik abstrahiert ist. Auch diese Theorie wurde von Komponisten als konstitutiv begriffen: Jaworskis Schüler Sergej Protopopow und Dimitri Mjelkich komponierten in «synthetischen», auf diese Theorie bezogenen Skalen. Wohlgemerkt hat das Komponieren in «symmetrischen», dur-moll-fremden Skalen in Rußland lange, ins 19. Jahrhundert zurückreichende Traditionen, wie der Moskauer Musikwissenschaftler Rimski-Korsakow nachwies.[60] Alexander und Nikolai Tscherepnin bauten es in den zwanziger Jahren systematisch aus, letzterer nicht ohne Einfluß auf seine amerikanischen Schüler.[61]

Schostakowitschs Musik verrät, daß er von diesen Tendenzen – anknüpfend oder widerstrebend – nicht unberührt blieb. Mit vielen der Genannten stand er persönlich in Beziehung. So verband ihn seit 1925 bis zu dessen Tode eine herzliche Freundschaft mit Bolesław Jaworski[62], der den jungen «Mitja» hochschätzte und förderte, ihn später zur Vorführung eigener Werke in seine Moskauer Vorlesungen einlud und ihm in Zeiten der Unterdrückung Mut zusprach.[63] Schostakowitsch hat diese Hochschätzung erwidert[64], seine Schüler zu ihm nach Moskau geschickt[65] und für ihn in Notzeiten der Evakuierung seine Beziehungen spielen lassen.[66] Auch zu seinem Schüler, dem Komponisten und Theoretiker Sergej Wladimirowitsch Protopopow, der in den zwanziger Jahren seine Sonaten in «synthetischen Skalen» komponierte[67], bestand Kontakt.[68] Er bestand zu Georgi Rimski-Korsakow[69] wie auch zu dessen Schülern und seinen, ihm befreundeten Kommilitonen Nikolai Alexandrowitsch Malachowski und Alexander Kennel[70], deren Vierteltonkompositionen vom Vierteltonensemble Rimski-Korsakows aufgeführt wurden.[71] Diese Bekanntschaften kamen unter anderem im musikalischen Montagabendzirkel der Anna Iwanowna Vogt zustande, in dem junge Komponisten ihre Werke vorzutragen Gelegenheit fanden; Schostakowitsch hat hier seine frühen Präludien, seine *Suite für zwei Klaviere*, seine *Zwei Fabeln nach Krylow*, seine *Phantastischen Tänze* und seine I. Sinfonie vorgespielt.[72] Zu den Zuhörern gehörten wichtige Komponisten wie Wladimir Schtscherbatschow, Wladimir Deschewow, Gabriel Popow, Juri Karnowitsch und Wissarion Schebalin, der später Rektor am Moskauer Konservatorium war und mit dem Schostakowitsch ebenfalls eine lebenslange Freundschaft verbinden sollte sowie der Musikwissenschaftler Boris Asafjew, zu dem sich das Verhältnis eher wechselhaft gestaltete.[73]

Als Pianist setzte sich Schostakowitsch für die experimentellen Klavierstücke von Josef Schillinger ein[74], die in ihrem quasi mechanischen Formaufbau Aspekte späterer Computerkomposition vorwegnahmen – einer Lieblingsidee dieses Komponisten, der schon in Vorträgen in Leningrad 1927 die «Mechanisierung der Musik» prophezeite und zu den ersten Propagandisten des Jazz gehörte.[75] Später in der amerikanischen Emigration entwickelte er ein System gelenkter Zufallskomposition und war Lehrer unter anderem von George Gershwin, Benny Goodman und Glenn Miller.[76]

Schostakowitsch bewunderte die Pianisten Lew Oborin und Maria Judina, die sich in jenen Jahren mit großem Enthusiasmus der zeitgenössischen Musik annahmen.[77] Die Spuren anderer Beziehungen scheinen verwischt, besonders wenn die Betreffenden in der späteren sowjetischen Musikgeschichtsschreibung in Ungnade standen, wie Roslavetz, oder gar noch stehen, wie Arthur Lourié, und wir sind auf Rückschlüsse angewiesen.

Aus stilistischen Gründen drängt sich die Frage auf, ob Schostakowitsch den Futuristen Arthur Lourié gekannt und von ihm Anstöße empfangen habe. Vieles, was in Louriés Musik um 1917 begann, findet seine Parallele und Fortsetzung im Stil des jungen Schostakowitsch: die antiromantische Intellektualität seines Komponierens, der neuentdeckte Reiz der Linearität und der lakonischen Beschränkung des Satzes, die wiederentdeckte Diatonik und der Kontrast zwischen Konsonanz und herber Dissonanz, das neuerwachte Interesse an der Melodik – dies alles im schärfsten Gegensatz zur vorangegangenen klangbegeisterten Skrjabin-Ära. Es ist kaum anzunehmen, daß Schostakowitsch den Namen Louriés nicht gekannt habe, denn als Leiter der Musikabteilung in Lunatscharskis Volkskommissariat für Aufklärung war er einer der einflußreichsten Männer in der sowjetischen Musikpolitik der ersten Revolutionsjahre und zahlreiche Werke von ihm sind von 1917 bis 1923, vor seiner Emigration, im Sowjetischen Staatsverlag erschienen. Wenn Claudia Łukasiewicz im August 1921 an Lunatscharski um ein Stipendium für Schostakowitsch schrieb, wird dieses Gesuch auf Louriés Schreibtisch gelandet (und dort positiv entschieden worden) sein.[78] Eine merkwürdige Koinzidenz: Lourié beschäftigte sich 1923, im ersten Jahr seines Pariser Exils, mit Kompositionsentwürfen zu einer Oper «Die Nase» nach Gogol – jenem Stoff, mit dem vier Jahre später Schostakowitsch seinen Einstand als Opernkomponist geben sollte.[79]

Nicht minder wichtig für die Neue Musik der späten zwanziger Jahre war Nikolai Roslavetz, mit seinen eigenen, atonalen Tonsatzsystemen eher noch im klanglichen Skrjabin-Milieu wurzelnd, doch unermüdlicher (und angefeindeter) Propagandist der zeitgenössischen Musik, Marxist der fortschrittsfreundlichen Richtung. Der Auftrag, den Schostakowitsch zur Komposition seiner II. Sinfonie, der *Widmung an den Oktober*, im Frühjahr 1927 erhielt, kam vom «Agitotdjel» des Staatlichen Musikverlages[80], das heißt jener Abteilung, die für das damals sehr wichtig erachtete Genre der «Agitations- und Aufklärungsmusik» [Agitacionno-prosvetitel'naja Muzyka] zuständig war. Leiter der «Politabteilung» an jenem Verlag war Roslavetz, und die Sinfonie erlebte ihre Uraufführung zusammen mit der Kantate «Oktober» von Roslavetz anläßlich des zehnten Jahrestags der Oktober-Revolution.[81]

Schostakowitsch «studierte eifrig alle neuen Tendenzen in der Musik, ohne ihnen jedoch zu erliegen», vermerkt Krzysztof Meyer[82]; es gab jedoch eine Epoche, unmittelbar nach der Beendigung seines Studiums, da er an seiner kompositorischen Berufung zu zweifeln begann. *Ich war völlig unfähig zu komponieren, und eines Tages vernichtete ich fast alle Manuskripte. Jetzt bedaure ich das sehr, insbesondere, weil sich darunter Teile einer Oper befanden – «Die Zigeuner» nach einem Poem Puschkins. Ich stand vor der Frage, was ich werden sollte – Pianist oder Komponist?*[83]

Ungeachtet dessen gelang es ihm die Krise zu überwinden (teilweise im Bruch mit seinen Lehrern, in der Hinwendung zu völlig neuen Techniken und Medien). Ohne diese Krise wäre er vielleicht ein farbloser Nachfahre Glasunows und Tanejews geworden. Indessen führte sie bei ihm nie zu einem völligen Bruch mit der akademischen Schultradition – im Gegenteil war er zum Beispiel immer stolz darauf, im Unterschied zu anderen Komponisten perfekt und mühelos das Handwerk der Instrumentation zu beherrschen und nie ins experimentelle Abseits zu geraten. Vielleicht liegt hierin überhaupt das Besondere und «Gültige» seines personellen Stils: daß er die Synthese fand zwischen der akademischen Schultradition (die ja zugleich eine «Hörtradition» ist) und all den neuen musikalischen und ästhetischen Gedanken, die in der europäischen und speziell der russischen Musik mit dem Symbolismus und Futurismus aufgekommen waren. Und dies war wohlgemerkt keine Synthese im Sinne eines eklektischen Kompromisses, bei dem bald die eine, bald die andere Seite die Oberhand gewinnt, sondern: die neuen Ideen gewannen bei Schostakowitsch eine konsequente, handwerklich fundierte Durchschlagskraft.

Es ist kein Wunder, daß Schostakowitsch sowjetischen Musiktheoretikern immer wieder Gelegenheit geboten hat, über die Skalenstruktur seiner Musik nachzudenken[84], und noch dürfte dieses Thema längst nicht ausgeschöpft sein. Anders als Iwan Wyschnegradskys Vierteltonmusik könnte man bei Schostakowitsch eine Tendenz zu «nichtoktavierenden Tonräumen» konstatieren: indem er nämlich mit dem herkömmlichen Material der zwölf Halbtöne Bildungen herstellt, die in der abendländischen Tradition gewöhnlich mit dem Ganzton geschehen. In Schostakowitschs Melodik wird der Halbton streckenweise zum konstituierenden

Material und als solches zum Werkzeug einer «eristischen», Folgerichtig-keit vortäuschenden Modulation und Kadenzierung, bei der völlig unge-bräuchliche Verbindungen zwischen Tonarten entstehen.[85] Solchem Ton-artenwechsel durch verzerrte Melodik, durch unvermutete Rückung des Melodie- und Akkordniveaus entspringt letztlich die häufig empfundene und angesprochene satirische und groteske Wirkung der Musik Schosta-kowitschs.

Solche Erweiterung des melodischen Programms über die herkömmli-chen Formen hinaus – etwa zu einer maschinellen Skalenmelodik in riesi-gen Intervallräumen wie im Eingangssatz der II. Sinfonie – war Schosta-kowitsch ein bewußtes Anliegen: später wird er seine Schüler immer wie-der ermahnen, mehr Augenmerk auf die Melodik zu legen. *In den letzten Tagen habe ich mir wieder Ihre Kompositionen angesehen*, schreibt er am 6. Mai 1950 an den jungen, eben erst beginnenden Komponisten Edison Denissow. *Talent haben Sie ohne Zweifel. Aber die Unzulänglichkeiten sind folgende: das melodische Material ist schwach.* Und in einem Brief am 15. Juni 1950 wiederholt er: *Aber auf Ihre Unzulänglichkeiten (Melodik) sollten Sie ernsthaft das Augenmerk richten. Das Thema, die Melodie ist die Seele der Musik. Und wenn es mit dieser Seele hapert, dann – so könnte man sagen – ist es keine Komposition.*

Schostakowitschs Avantgardismus bestand in der Art seiner Melodik – sein Konservativismus sollte darin bestehen, daß er Melodiker blieb in einer unmelodischen Zeit. Obwohl es für ihn ganz selbstverständlich ist, das Tonmaterial im Sinne jener Gleichberechtigung der zwölf Halbton-stufen zu behandeln, wie sie die Schönbergsche Reihentechnik postu-liert, obwohl seine melodischen Gebilde immer wieder zur chromati-schen Vollständigkeit tendieren, zur Auffüllung des Zwölftonraumes, ist es ihm doch nie in den Sinn gekommen, seinen Satz einer Zwölftonrei-henordnung oder ähnlichen atonalen Ordnungsprinzipien zu unterwer-fen, wie es die Generationsvorgänger Lourié, Obuchow oder Roslavetz taten. Für ihn ist die Zwölfton-Reihenstruktur ein denkbares Mittel zur Erreichung eines Ziels, etwa als Modell wie in seinem XII. Streichquar-tett.

Das Suchen nach den Ausdrucksmitteln, die Anwendung komplizierter Systeme (z. B. der Dodekaphonie) sind äußerst notwendig. Die Wahl die-ser Mittel sollte jedoch vor allem durch das ideell-künstlerische Hauptziel diktiert werden. Anders ausgedrückt: Ich denke, daß in der Musik bis zu einem gewissen Grade der Grundsatz «Der Zweck heiligt die Mittel» gilt. Es fragt sich nur, ob alle Mittel? Ich wage die Behauptung: ja, alle, wenn sie der Erreichung des Ziels dienen . . .

. . . Eines ist aber sicher: Die Musik sollte immer notwendig und aktiv sein, unabhängig davon, welcher Mittel man sich zur Erreichung dieses wichtigsten Zieles bedienen mag . . .[86]

Diese Sätze äußerte Schostakowitsch in seinem letzten Lebensjahr; sie entsprechen aber durchaus seinem kompositorischen Handeln in der Frühphase der zwanziger Jahre, in denen sich die Elemente seines Stils – in gewisser Hinsicht: endgültig – formieren. Die Anarchie des atonalen

Das heutige Kinotheater «Aurora» in Leningrad, Arbeitsstätte Schostakowitschs in den zwanziger Jahren

Elements begriff er weniger als Beunruhigung denn als Chance, mit ihrer Hilfe tonale Strukturen neu zu konstituieren. Es entsteht so eine Tonalität, die durch die Schule der Atonalität gegangen ist, eine Scheintonalität in atonalem Zusammenhang, eine Tonalität, die gerade durch ihre Infragestellung «sichtbar» wird, eine Diatonik im Sinne einer theatralischen Ästhetik des «Als ob». So charakteristisch wie für seine Melodik ihre eristischen Verläufe wird für seine harmonischen Konstruktionen ihre «Schräglage», ihre Neigung zur Bi- und Polytonalität, die weiträumig ausgekostete tonale Spannung zwischen verschiedenen tonalen Zentren. Dies geschieht nicht mit dem Ziel der koloristischen Bereicherung, des vieldeutigen Farbspiels, sondern die tonale Spannung zwischen melodischen Linien wird zum Brennpunkt des Satzes, zum vorwärtstreibenden «dramatischen Konflikt».

Seine Materialien und Formen bleiben dabei während seines Lebens verhältnismäßig konstant; große Umwälzungen finden nicht statt. Er hatte diese Elemente wie Figuren auf seinem Brett stehen und – Schachspieler, der er war[87] – hat er mit ihnen von seiner I. Sinfonie bis zu seiner XV. Sinfonie immer neue, scharfsinnige Kombinationen erprobt. Schostakowitsch hat selbst dieses Gefühl der Konstanz gehabt: *Seit den dreißiger Jahren ist viel Zeit vergangen. Manche Kunstschaffende wachsen, verändern sich. Ich sehe keine stilistische Veränderung in meiner schöpferi-*

schen Biographie. Ich bin nicht der gleiche wie vor dreißig Jahren. Aber der Mensch bleibt sich doch gleich, ob er dreißig oder hundert Jahre auf der Erde lebt. Er wird nur älter, er bekommt mehr Erfahrungen.[88]

Auf dieser Basis gelingt ihm immerhin mit seiner II. Sinfonie ein Vorprellen weit in die kompositorische Zukunft. In ihrem Eingangsteil realisiert er in einem Kanon bis zu dreizehn Stimmen ein «Klangtextil» aus Holzbläser- und Streicherlinien, wie es in der Neuen Musik erst 30 Jahre später, durch György Ligetis «Atmosphères» und Krzysztof Pendereckis «Treny», wieder aktuell werden sollte. Diese Sinfonie, mit einem Textfinale wie Beethovens IX., Mahlers II., III. und IV. oder Skrjabins II. Sinfonie – teilweise im Sprechgesang vertonten Revolutionsversen von Alexander Besymenski –, ist auch formal insofern ein Novum, als Schostakowitsch hier ganz konsequent und revolutionär eine wiederholungslose Form verwirklicht, ein Stück «epischer Sinfonik», das auf alle herkömmlichen Momente der Symmetriebildung verzichtet.

Das Problem der Form hatte sich für die Neoklassizisten-Generation allgemein neu gestellt; es wurde zum Angelpunkt. Ähnlich wie für die Theoretiker des literarischen «Formalismus» nicht mehr die «transmentale Sprache» der frühen Futuristen interessant war, sondern statt dessen der «Körper» des literarischen Kunstwerks, die «Bauformen des Erzählens», die Dramaturgie der Abläufe[89], erlahmte in der Musik das Interesse an neuen Systemen atonaler Tonorganisation, wird die alte, scheinbar überlebte Tonalität unter neuen Blickwinkeln attraktiv, doch unter dieser nur auf den ersten Blick konservativen Voraussetzung gerät etwas ins Wanken, was bis dahin keinem Zweifel unterlegen hatte: die klassischen Bauformen, zum Beispiel die Sonatenform mit Thema und Gegenthema, Durchführung und Reprise, zersplittern und geraten außer Kurs.[90] Schostakowitsch hat seine Lösungsversuche immer mehr unter dramatische Aspekte gestellt. Die Formabläufe seiner Sinfonien bekamen immer mehr etwas von einer Szenenfolge, sein Kontrapunkt etwas von einer Bildschnittechnik.

Schostakowitsch hatte in seiner freiwillig-unfreiwilligen Tätigkeit als Kinopianist studieren können, was das war. Abende lang vor der Leinwand sitzend, kommentierte er die Handlung schließlich auf eigene Weise, und seine Improvisationen entfernten sich so weit von den gängigen Mustern, so daß die Direktion mit Hinauswurf drohte. Glasunow schaltete sich vermittelnd ein, obschon ihm die Tätigkeit seines Schülers kaum recht war, da er nur noch selten zum Unterricht erschien. *Ich versichere Ihnen, daß ich kein Lotterleben treibe; die Sache steht schlimmer. Mit der Arbeit am Cinematograph bin ich völlig aufgeschmissen ... Dank meiner gewissen Sensibilität klingt mir, wenn ich nach Hause komme, immer noch die Kinomusik in den Ohren, und vor meinen Augen stehen die Helden und sind mir böse. Infolgedessen kann ich lange nicht einschlafen. Bis dahin wird es vier oder fünf Uhr. Also stehe ich dann morgens sehr spät auf, mit schwerem Kopf und unpassenden Gefühlen. Es kriechen mir unanstän-*

Partiturseite der II. Sinfonie

dige Gedanken in den Kopf, etwa: *ich hätte mich für 134 Rubel an das
«Sevzapkino» verkauft und sei nun ein Kinopianist geworden. Und da ist es
auch schon Zeit, ins Konservatorium zu rennen. Ich komme nach Hause,
esse etwas und dann wieder heidi in den «Splendid Palace»* . . .[91]

Die Erfahrungen, die er als Kinopianist gesammelt hat, wird er eines Ta-

Szenenbild aus «Die Nase» (Wiederaufführung 1974)

ges als Filmkomponist nutzen. Vorerst fasziniert ihn, dessen Musik innerlich so dramatisch ist, der Plan einer neuen Oper: der *Nase* nach Gogol.

*Meine Oper «Die Nase» habe ich im Sommer 1927 konzipiert und im
Sommer 1928 fertiggestellt. Das Sujet bei Gogol zu suchen, dazu kam ich
aus folgenden Gründen. Sowjetische Schriftsteller haben eine Reihe großer*

Das Kleine Theater in Leningrad, Uraufführungsstätte der «Nase»

und bedeutender Werke geschaffen; für mich als nichtprofessionellen Literaten wäre es jedoch schwierig gewesen, sie in ein Opernlibretto umzuformen. Die Autoren dieser Werke sind mir in dieser Hinsicht nicht entgegengekommen, und sie motivierten das mit Zeitmangel, mit übermäßiger Belastung oder (vielleicht irre ich mich da, aber jedenfalls haben es mir die Schriftsteller, mit denen ich zu tun hatte, so erklärt) damit, daß sie die Entwicklung einer sowjetischen Oper nicht besonders interessiere. Viel leichter wäre es für mich gewesen, irgendwelche kleineren Werke zu einem Opernlibretto zu verarbeiten, aber auch hier habe ich Stoffe, die das Material für eine Oper hätten abgeben können, in der zeitgenössischen Literatur nicht gefunden. Also mußte ich bei den Klassikern suchen.

In der Überlegung, daß in unserer Zeit eine Oper auf ein klassisches Sujet am aktuellsten sein könnte, wenn dieses Sujet satirischen Charakter hätte, begann ich ein solches Sujet bei den «Walfischen» der russischen Satire zu suchen: Gogol, Saltykow-Schtschedrin und Tschechow. So stieß ich endlich auf «Die Nase» von Gogol. Warum nun ausgerechnet «Die Nase» und kein anderes Werk von Gogol?

Man muß diese Erzählung nur lesen, um sich davon zu überzeugen, daß «Die Nase» als Satire über die Epoche des Zaren Nikolaus I. stärker als alle anderen Erzählungen Gogols ist. Zweitens schien es mir, daß es für mich als nichtprofessionellen Literaten leichter wäre, aus dieser Erzählung eine Oper zu machen als etwa aus den «Toten Seelen». Ich möchte noch einmal unterstreichen, daß für mich die kleinen literarischen Formen leichter in eine Szene umzuwandeln sind als die großen.

Drittens ist der Text der «Nase» kräftiger und ausdrucksvoller als der aller übrigen «Petersburger Erzählungen» Gogols; er stellt viele interessante Aufgaben im Sinne seiner «Musikalisierung». Viertens gibt er viele interessante szenische Konstellationen her.

Das Libretto wurde nach dem Prinzip der literarischen Montage gestaltet. Die Veränderungen gegenüber Gogol sind folgende:

1. Die Szene, die bei Gogol im Gasthof stattfindet, wurde in die Kasaner Kathedrale verlegt (diese Szene in der Kasaner Kathedrale war seinerzeit von der Zensur Nikolaus' I. verboten worden, und Gogol hatte sie daraufhin in den Gasthof verlegt).

2. Die Szene, wie die Nase eingefangen wird, für die es bei Gogol nur einen Hinweis gibt, wurde stark erweitert. –

Die Musik spielt in diesem Schauspiel keine eigenständige Rolle. Der Akzent liegt vielmehr auf der Wiedergabe des Textes. Ich möchte noch sagen, daß die Musik auch keine absichtlich «parodistische» Färbung hat. Keineswegs! Ungeachtet aller Komik, die sich auf der Bühne abspielt, ist die Musik nicht komisch. Ich halte das für richtig, da auch Gogol alle komischen Ereignisse in ernsthaftem Ton vorträgt. Darin besteht die Kraft und

Gedenktafel für Wsewolod Emiljewitsch Meyerhold an seinem Wohnhaus in Moskau, Uliza Neshdanowoj

*die Würde des Gogolschen Humors. Er «überzieht» nicht. Die Musik be-
müht sich ebenfalls, nicht zu «überziehen».*[92]

Noch einmal, in den vierziger Jahren, sollte er auf diesen Dichter zurückkommen: in der (unvollendeten) Vertonung seiner Komödie *Die
Spieler*, die 1981 von seinem polnischen Schüler Krzysztof Meyer zu
Ende komponiert wurde. Was hat ihn an Gogol gereizt? Einmal wohl
die hintergründige Poesie seiner realistischen Sprache, und dann wohl
sein ewiges Thema, das auch das Thema Schostakowitschs war: die
Hierarchie und die Schlamperei, und in dessen Betrachtung die ver-
zweifelte Frage nach dem ethischen Ausweg. Gogol schrieb Satiren,
Grotesken und Komödien, die in Wahrheit Tragödien waren, Tragödien über Rußland, in deren Hintergrund die Frage nach dem erlösen-
den Sinn stand, und machte sich damit seiner Mitwelt verdächtig und
verächtlich. Dasselbe tat und erlitt Schostakowitsch. Wie Gogol verkörperte er im Tragischen wie im Komischen das heilige, gottsuchende
Rußland.

Schostakowitsch hat Gogols Erzählung von der «Nase», die dem Major
Kowaljew beim Rasieren abgeschnitten wird, sich selbständig macht und
in einen höheren Beamten verwandelt, unter Aufbietung aller zeitgenössischen Kunstmittel vertont. Es gibt drei Grundtypen thematisch unge-
formter Melodik: Linienmelodik in Skalenbewegung, oft über die Oktave
hinaus, untermalt starke Gemütsbewegungen der handelnden Personen,
rhythmische Impulse mit Tonwiederholungen begleiten die Auftritte
männlicher Figuren und dramatische Stellen, ostinate Kurzimpulse,
meist in Skalenbewegung, begleiten besonders in Triolenbewegung gern
weibliche Figuren und verschnellern sich bei deren Erregung. Triller- und
Pendelimpulse untermalen den Fortgang der Handlung.[93] Im Sinne einer
erneuerten Linearität wird von alten kontrapunktischen Formen wie dem
Kanon und dem Ricercar ausgiebig Gebrauch gemacht.[94] Die Figur der
Nase ist durch eine stark chromatische Partie gekennzeichnet und muß
laut Anweisungen nasale Töne singen. Rein tonal ist in der Oper nur ein
sentimentaler Gassenhauer, den der Diener Kowaljows singt, sonst herr-
schen Bitonalität und sordinierte Klänge. Die Einheit von Text und
Handlungsablauf wird in der Komposition durchbrochen: in der 8. Szene
(*Redaktionsstube*) singen acht verschiedene Lakaien im achtstimmigen
Kanon acht verschiedene Zeitungsanzeigentexte; in der 12. Szene werden
gleichzeitig – von zwei verschiedenen auf der Bühne dargestellten Zimmern aus – ein Brief Kowaljows an die Gräfin Podtotschina und deren
Antwortschreiben im Duett vorgetragen; durch Hinzutritt von Tochter
und Diener entwickelt sich die Szene zum Quartett. Diese Gleichzeitig-
keit von Ungleichzeitigem wurde als szenische Technik erst 35 Jahre später von Bernd Alois Zimmermann (im Zuge seiner Erwägungen über die
«Kugelgestalt der Zeit») in seiner Oper «Die Soldaten» wiederentdeckt.[95]
Drei Jahre vor der als klassisches Beispiel berühmten «Ionisation» von
Edgar Varèse komponierte Schostakowitsch die 4. Szene dieser Oper als
reinen Schlagzeugsatz ohne Melodieinstrumente.[96] Unbeschadet dieser
experimentellen Züge zeigt das Werk in der Führung der Gesangsstim-

Porträt Schostakowitschs
aus den Jahren 1933 bis 1935

men eine Traditionsbindung an den Stil Mussorgskys (wie denn überhaupt, auch in späteren Werken wie der XIII. und XIV. Sinfonie, eine eigentümliche Konservativität zu bemerken ist: Schostakowitsch, der im Instrumentalen so kühn vorging, wollte als Vokalkomponist nie etwas anderes sein als ein traditionsbewußter Fortsetzer des russischen Naturalismus). Auch Elemente der Unterhaltungsmusik – Märsche, Gassenhauer – sind in spöttisch-theatralischer Brechung in die phantastisch-realistische Szene einbezogen: Elemente, mit denen sich Schostakowitsch in seinen Filmmusiken ausgiebig beschäftigen wird.

Die Entstehungsgeschichte des Werkes in den Jahren 1927 und 1928 ist mit entscheidenden Erlebnissen und Begegnungen verknüpft. Anstöße zum Plan und zur Struktur erhielt Schostakowitsch aus der Verfilmung von Gogols «Mantel» durch Juri Tynjanow, die er als Kinopianist begleitete, aus der Leningrader Aufführung des «Wozzeck» von Alban Berg und aus der Inszenierung von Gogols «Revisor» durch Wsewolod Meyerhold[97], jenem großen Theatermann, der und dessen Frau später in den Stalinschen Säuberungen grausam umkamen, der heute aber wieder als «erster kommunistischer Regisseur» Rußlands in hohem Ansehen steht und dessen Theater in seiner Bedeutung, auch in seinen illusions- und konventionsfeindlichen Tendenzen der Bühne Bertolt Brechts zu vergleichen ist.[98] Meyerholds «Revisor»-Inszenierung hatte Schostakowitsch zur Idee einer «theatralischen Sinfonie» gebracht[99], wie sie dann besonders in seiner IV. Sinfonie Gestalt gewann.

Meyerhold hatte Schostakowitsch zu einer Art Praktikum an seinem Theater nach Moskau eingeladen; im Winter 1927/28 lebte er in Meyerholds Wohnung am Nowinski-Boulevard und komponierte in zügigen Arbeitsphasen an seiner Oper, deren Partitur dort beinahe einem Feuer zum Opfer gefallen wäre.[100] Das Libretto hatten die jungen Autoren Grigori Jonin und Alexander Preuß fertiggestellt, nachdem sich die anfangs geplante Zusammenarbeit mit Jewgeni Samjatin als unergiebig erwies.[101] Schostakowitsch wirkte auch an Meyerholds Aufführungen mit. *Wenn im «Revisor» im Verlauf der Handlung eine Schauspielerin eine Romanze von Glinka zu singen hatte, dann zog ich einen Frack an, trat als einer der Gäste hervor und begleitete sie am Klavier. Ich spielte auch im Orchester mit.*[102] Im Frühjahr 1928 kehrte er zu seiner Familie nach Leningrad zurück. Den dritten Akt, an dem ihm die Arbeit schwergefallen war, träumte er eines Nachts zu Ende, berichtet seine Schwester Soja. «Eines schönen Morgens verkündete er den Hausgenossen, daß er den ganzen Akt im Traum gehört und gesehen habe ... er mußte nur noch hinschreiben, was er gehört hatte.»[103]

Die Oper war im Sommer 1928 fertig und wurde verschiedenen Bühnen eingereicht. Zu der von Meyerhold erhofften Aufnahme beim Bolschoi-Theater kam es aber nicht; die Uraufführung fand dann schließlich am 18. November 1930 im Leningrader Kleinen Operntheater statt, zuvor und danach begleitet von erbittertem publizistischem Pro und Kontra. Die marxistisch-fortschrittsfreundliche Zeitschrift «Musik und Revolution» begrüßte 1928 das Projekt[104]:

«Scheinbar gibt es nichts, das weniger szenisch und zeitgemäß wäre als ‹Die Nase›, jene anekdotische und phantastische Erzählung Gogols, die in vieler Hinsicht vom Geist E. T. A. Hoffmanns erfüllt und an Handlungsmomenten arm ist. Doch es ist kein Zufall, daß Schostakowitsch sie als Opernsujet gewählt hat. Nicht die Phantastik des Sujets und noch weniger die historische Milieuschilderung reizten Schostakowitsch an der Gogolschen ‹Nase›, sondern die Anekdotik des Inhalts, eine Reihe von ungewöhnlichen Situationen, die das Lächerliche und Jämmerliche der Spießerpsychologie bis zum Tragischen bloßlegen, das völlige Fehlen des lyrischen Moments und die klare, ausdrucksvolle, umgangssprachliche, nicht zur vokalen Kantilene Anlaß gebende Sprache – dies scheinen uns die für Schostakowitsch faszinierenden Besonderheiten jener Erzählung zu sein, die wie selten etwas mit seinem Temperament und seinen kompositorischen Eigentümlichkeiten zusammenfallen.»

Nur selten wurden Schostakowitsch solch genaue und wesensgerechte Beurteilungen zuteil. Der große musikalische Spötter wurde in der tragischen Dimension seines Spotts nie begriffen, der Prophet der musikalischen Satire galt nichts in seinem Vaterland. Seine Neigung zur Ironie und Groteske wurde als Jugendsünde abgetan – sein Publikum wollte einen Klassiker und liebte ihn erst, als er «reif» geworden war.

Das erste Scherbengericht

Schostakowitsch war, wie man so sagt, «prominent» geworden, und seine Schritte blieben nicht mehr unbeachtet; er erfuhr die Wahrheit des schon Luther bekannten Sprichwortes «Wer am Wege baut, hat viele Meister» in einer Gesellschaft, der im Hinblick auf neue Kunstwerke im wesentlichen zwei Rollenspiele einfallen: 1. das der Adoration, der andächtigen Hinnahme und der Vergötterung ihres Schöpfers, der natürlich und möglichst auf internationaler Ebene alles in den Schatten stellt; 2. das des Scherbengerichts, der hysterischen Verurteilung und der Verdächtigung ihres Schöpfers, daß er schädlichen internationalen Einflüssen erlegen sei. Langweilig ist das Leben des Schöpfers unter diesen Voraussetzungen jedenfalls nie, und im Falle von Schostakowitsch wurden beide Verhaltensweisen manchmal auch simultan praktiziert: Autoren, die sich in Zeiten der großen Scherbengerichte für Schostakowitsch in Buchveröffentlichungen engagierten, mußten sich hierbei in schulmeisterlich-dummdreisten Verurteilungen der «formalistischen» Werke ergehen[105], und *Die Nase* stand dabei an vorderster Stelle. Später als selbst die anderen «formalistischen Werke» – die II., III. und IV. Sinfonie, die neugefaßte *Lady Macbeth* – wurde sie erst kurz vor Schostakowitschs Tod, 1974, in einer Inszenierung der Moskauer Kammeroper, «rehabilitiert».[106]

Noch vor der Uraufführung gab es Angriffe von seiten der «Russischen Assoziation Proletarischer Musiker» (RAPM), die dem Werk Kompliziertheit, Unzugänglichkeit und Nichtbeachtung der sowjetischen Thematik vorwarfen.[107] Nach der Premiere wurden die «übermäßigen Einflüsse Prokofjews, Křeneks und Bergs» kritisiert; eine Rezension bezeichnete die Oper als «Handgranate eines Anarchisten».[108]

Die mit der «Assoziation für zeitgenössische Musik» konkurrierende «Assoziation Proletarischer Musiker», 1923 gegründet und 1929 mit dem «Produktionskollektiv der Studenten am Moskauer Konservatorium» (PROKOLL) zur «Russischen Assoziation Proletarischer Musik» (RAPM) verschmolzen, verfocht schon in den zwanziger Jahren musikalische Zielsetzungen wie die später in der Stalin-Zeit maßgebenden: «Zugänglichkeit» und «Monumentalität» einer Musik für das Proletariat, die sich an klassischen Formen orientieren sollte.[109] In der DDR-Publikation Krzysztof Meyers liest sich ihre Einschätzung heute so: «Die APM stellte die Vokalmusik und die Entwicklung einer neuen Gattung, des Massenliedes mit aktueller sozialistischer Thematik, in den Vordergrund. Sie bekämpfte alle Erscheinungen des Modernismus, verurteilte die in Konzerten gespielten Werke Schrekers, Křeneks, Bergs und anderer ... sie unterschätzte die Rolle des kompositorischen Handwerks, negierte seine komplizierte Problematik und Bedeutung. Zur APM gehörten Musiker, deren Namen uns heute kaum mehr etwas sagen ...»[110] Der radikalere PROKOLL-Flügel betrachtete gar Komponisten wie Chopin und Tschaikowsky als unnötig.[111] Abgesehen von der Komposition von Massenliedern hatte die Gruppe weniger eine musikalisch kreative als eine kritisch-polemische Funktion, die allerdings Anfang der dreißiger Jahre einer Zensurrolle gleichkam. Ziel ihrer Angriffe war nicht nur der «bürgerliche Modernismus»; sie betätigte sich vor allem auch im Kampf gegen die weitverbreiteten Zigeunerromanzen und gegen den eindringenden Jazz als musikalische Sittenpolizei[112] und achtete zum Beispiel darauf, daß Sarasates «Zigeunerweisen» oder Ravels «Zigeunerrhapsodie» nicht in Konzerten gespielt wurden.[113]

Ihre Auflösung im Jahre 1932, verbunden mit der Gründung des «Sowjetischen Komponistenverbandes», wurde daher von vielen Musikern mit Erleichterung aufgenommen und mit der Hoffnung auf sachlichere Arbeitsmöglichkeiten verknüpft[114]; sie «befreite die sowjetische Musik von primitiven, vulgär-soziologischen Dogmen»[115]. Ihr Gedankengut blieb jedoch in der sowjetischen Kulturpolitik virulent; ein entschlossener Jazzgegner von 1927 wie Marian Kowal[116] gehörte dann auch zu den entschiedensten Gegnern Schostakowitschs in den Auseinandersetzungen von 1948[116], und das Bewußtsein hiervon war unter sowjetischen Musikern lebendig. Wenn Bolesław Jaworski im Oktober 1942 Schostakowitsch ermunterte: «Ich hoffe, daß wir bald Ihre Vierte Sinfonie zu hören bekommen», tat er das in der (irrigen) Hoffnung: «Die RAPM-Leute wird es nicht mehr geben – die sollte der Vaterländische Krieg ausgeschaltet haben – und es wird der großartige, bedeutende Inhalt dieser Sinfonie: das Wagnis und seine Verwirklichung, hörbar werden. Wenn ihnen jetzt auch noch nicht das Maul gestopft ist, ist doch die Zeit ihrer Despotie vorbei, in der sie Komponisten unter die Etikette einer ehrerbietig-vergnügten ‹Emotion› zwingen konnten ...»[118]

Schostakowitsch allerdings begegnete den RAPM-Angriffen, die sich gegen seine Ballett- und Filmmusiken richteten[119], mit Besonnenheit und dem ihm eigenen, hintergründigen Humor. *Na gut, wenn ihr wollt, dann werde ich meiner Freundin singen: «Ihr wolltet uns schlagen, uns schlagen»*, lästerte er einmal auf einer RAPM-Sitzung.[120]

Dabei war Schostakowitsch der Letzte, dem ein Desinteresse an sowjetischer Thematik, an neuen und verständlichen Formen ihrer Vermittlung ernstlich hätte vorgeworfen werden können. *Seit Anfang 1929 bis Ende 1931 arbeite ich nur im Bereich der «angewandten Komposition». Ich schrieb Musik zu Theatervorstellungen und fürs Kino, in diesem Bereich sehr viel: «Das neue Babylon», «Die Wanze» (für das Meyerhold-Theater), «Der Schuß», «Neuland», «Rule, Britannia» (für das Leningrader Theater der Arbeiterjugend), «Allein», «Goldene Berge», «Der bedingt Ermordete» (Music-Hall), ich habe einen Vertrag für den Hamlet (Wachtangow-*

Theater, unter der Regie von Akimow), «Wie der Beton fest wird» ... und «Der Neger» (Operette nach einem Text von Husmann und Marienhof). Währenddessen habe ich, neben den aufgezählten Arbeiten, zwei Ballette komponiert («Das Goldene Zeitalter» und «Der Bolzen») und die «Sinfonie zum 1. Mai». Das einzige, was nach meiner Meinung einen «bleibenden Platz» in der Geschichte der sowjetischen Musik beanspruchen kann, ist diese Sinfonie, ungeachtet einiger Mängel. Damit will ich nicht sagen, daß all das übrige niemandem nützlich wäre. Aber es ist mit dem Theater verbunden und hat keinen eigenen Verlauf.[121]

Die Sujets der Filme, die Schostakowitsch hier vertonte, wie auch die hier genannten Versuche eines neuen sozialistischen Balletts muß man sich als ziemlich «linientreu» und propagandistisch vorstellen – die Exzentrik der frühen Revolutionsepoche, wie sie Eisenstein oder Pudowkin verkörperten, wich zunehmend dem, was man nun als «Realistik» ansah.[122] Schostakowitsch ist auch in seinen Vertonungen, wie die jetzt vorliegenden Schallplatteneinspielungen zeigen, der Forderung nach «Zugänglichkeit» und Popularität weit entgegengekommen und hat – sieht man von satirischen Glücksfällen wie der Filmmusik «Das neue Babylon» ab, im wesentlichen eine gut gearbeitete Unterhaltungsmusik geliefert.[123]

Auch die hier genannte III. Sinfonie, op. 20, steht bei all ihrer experimentellen, konsequent wiederholungslosen Form dieser neuen Unterhaltsamkeit nahe, wirkt sehr «filmisch» und illustrativ. Über sie schrieb der Musikwissenschaftler Boris Asafjew, der zunächst zu den Bewunderern Schostakowitschs gehörte: «Wahrscheinlich war dies der einzige Versuch, einen neuen Typus der Sinfonik zu schaffen, der aus der revolutionären Dynamik, aus der Agitationsrhetorik und deren Intonation abge-

Studio «Lenfilm» in Moskau

leite wurde.»[124] In der eben zitierten *Deklaration der Pflichten eines Komponisten*, die Schostakowitsch 1931 in der Zeitschrift «Arbeiter und Theater» veröffentlichen konnte, beklagt er anschließend die Degradierung der Musik zum Illustrationsmaterial; ihr bliebe nur *die Rolle, die «Verzweiflung» oder die «Begeisterung» zu akzentuieren. Es gibt bestimmte Standardnummern: ein Trommelschlag beim Eintritt eines neuen Helden, ein «munterer», «energischer» Tanz für die positiven Helden, ein Foxtrott für die «Zersetzung» und eine muntere Musik für das glückliche Finale. Das ist das «Material», mit dem der Komponist zu arbeiten hat. Es geht nicht, und es ist ein Verbrechen gegenüber der sowjetischen Musik, für die wir die Verantwortung vor der Partei und Regierung der Arbeiterklasse tragen, daß man die Rolle der Musik zu einer nackten Anpassung an den Geschmack und die künstlerische Methode des Theaters reduziert, die mitunter schlecht und jämmerlich ist ... So entsteht eine regelrechte kompositorische Verantwortungslosigkeit. Die «Leichtigkeit» und Schablonenhaftigkeit der Arbeit am Theater verführt, und die Qualität geht verloren ...*[125]

Schostakowitsch definiert hier sein eigenes Problem und das jener Epoche. Der «politische Zungenschlag» dieser Erklärung kann nur in Unkenntnis der Verhältnisse verwundern und wohl nur im Westen als Ergebenheitsadresse verstanden werden. In Wahrheit zeigt sich hier seine auch später oft geübte und zur Perfektion entwickelte Taktik, in parteitreuer Diktion die Interessen der Kunst oder der Künstler zu artikulieren

Wohnhaus Schostakowitschs am Leningrader Kirow-Prospekt, nahe dem «Lenfilm»-Studio

Gartenblick von der Wohnung am Kirow-Prospekt

und durchzufechten. Schostakowitsch war nun zu einer Figur des öffentlichen Lebens geworden – das war nun nicht mehr der Wunderknabe Mitja mit den träumerischen Augen hinter den dicken Brillengläsern, sondern ein in proletarischer Etikette geschulter Dialektiker, in dessen klugem Schachspielergehirn Ziele und Mittel genau bedacht wurden. Die «revolutionäre Heuchelei» konnte eine Frage des Überlebens sein; Schostakowitsch wagte sich weit vor.

Die Epoche der dreißiger Jahre war hinter ihrer optimistisch-vitalistischen Fassade der propagierten Fröhlichkeit eine blutgetränkte Epoche, eine Epoche der Tragödien. «Um jene Zeit hatte bereits jedermann Grund, sich vor seinen eigenen Gedanken, darüber hinaus aber auch vor jenen zu fürchten, die er für seine Freunde hielt. Jeder hatte Grund, sich vor allen anderen in acht zu nehmen», notierte der nach Moskau emigrierte ungarische Kommunist Ervin Sinkó in seinem Tagebuch.[126] Stalin beseitigte all seine früheren Mitkämpfer in Schauprozessen; Künstler verschwanden eher lautlos, wie die Dichter Ossip Mandelstam und Isaak Babel, wie Gorkis Sekretär Krutschkow, wie der von Schostakowitsch verehrte Meyerhold, wie der Schostakowitsch befreundete Komponist Nikolai Sergejewitsch Schiljajew, der «1937 illegal eingekerkert, nach seinem Tode rehabilitiert»[127] wurde, weil er mit dem Stalin unbequemen und damals ebenfalls liquidierten Marschall Tuchatschewski befreundet war. Tuchatschewski war ein Kenner, Freund und Förderer der Künste und von Künstlern, mit Schostakowitsch bekannt eben durch Schiljajew und oftmals zu Gast bei der Familie Schostakowitsch seit den zwanziger Jahren, als ihm Schostakowitsch und seine Kameraden ihr Programm zum Warschauer Chopin-Wettbewerb vorspielten.[128] «Diese Musiktragödie wird die erste sowjetische klassische Oper sein», äußerte Tuchatschewski zu Schostakowitschs *Lady Macbeth von Mzensk*[129], und ihre Verurteilung in der «Prawda» konnte nichts an seiner Wertschätzung für das Werk und seinen Komponisten ändern.[130] Schostakowitsch fand bei Tuchatschewski Zuspruch und Hilfe.[131] Tuchatschewski und Schiljajew wurden ermordet – daß Schostakowitsch am Leben blieb, mag Zufall gewesen sein oder Glücksfall: wir wissen es nicht. Die Epoche der stalinschen dreißiger Jahre gehört zu den «weißen Flecken» im Buch der sowjetischen Geschichte, ungeachtet aller ehrenwerten Bemühungen, das Werk der damals Umgekommenen und Verfemten zu rehabilitieren; nur: was damals geschah und warum, bleibt in der späteren sowjetischen Literatur Gegenstand zaghafter Andeutungen, bei denen sich der Leser den Rest selbst zusammenreimen muß. Über das Schicksal Meyerholds berichtet Ilja Ehrenburg in seiner berühmten Autobiographie «Menschen, Jahre, Leben»: «Wir trennten uns im Frühjahr 1938 – ich fuhr wieder nach Spanien. Der Abschied fiel uns schwer. Ich sah ihn nicht wieder.»[132] Ähnlich wortkarg verfährt die sonst so ausführliche Schostakowitsch-Biographin Sofia Chentowa im Falle von Schiljajew, den Schostakowitsch gern mochte, dessen «Freitagabende» er besuchte, dem er seine Werke vor-

Schostakowitschs Freund und Förderer, der liquidierte Marschall Tuchatschewski

Bildnis Schostakowitschs um 1935

spielte und auf dessen Urteil er viel gab.[133] Ihm hatte er noch im Frühjahr 1937 drei Sätze seiner V. Sinfonie vorgespielt, und das «war ihre letzte Begegnung»[134]. Die älteren Leser werden aus Erfahrung Bescheid wissen, und die jüngeren müssen die Gründe erraten.

Es wäre unter diesen Umständen eine Vermessenheit, aus einer Position des «wissenden Autors» Ereignisse jener Zeit zu interpretieren, von deren «historischer Aufarbeitung» einstweilen keine Rede sein kann. Wir können die Ereignisse registrieren, hinsichtlich ihrer Ursachen und Zusammenhänge aber nur mit Sokrates feststellen, daß wir nichts wissen. Und es ist auch nicht möglich, obwohl dies im Westen oft geschieht, es ist vielmehr naiv und absurd, irgendeine öffentliche Äußerung, die Schostakowitsch in jenen Jahren oder auch später getan hat, als unbefangenen Ausdruck einer persönlichen Meinung anzusehen und auszulegen (z. B. die Distanzierung von eigenen Werken).

Für Schostakowitsch hat das Thema des Todes fortan in seinen Kompositionen eine wichtige Rolle gespielt; viele Werke sind dem Andenken Verstorbener gewidmet. Krzysztof Meyer vermerkt und bedauert, daß in seiner IV. Sinfonie die für ihn bis dahin typischen «grotesken Episoden dergestalt zum letztenmal» in seinem Schaffen «erscheinen. Wenn er auch später des öfteren frohe, heitere, ja selbst humoristische Musik schrieb, so hatte er doch nie wieder jenen Ton der Ausgelassenheit, Sorglosigkeit und Exzentrik gefunden.»[135]

Sein eigenes Schlüsselerlebnis der Sinnlosigkeit bildeten die Erfahrungen mit der Oper *Die Lady Macbeth von Mzensk*. Es gibt in der Musikgeschichte des 20. Jahrhunderts zwei epochemachende Opern, in denen Mozarts «Don Giovanni» sozusagen eine weibliche Gegenfigur findet; sie sind in ihren Motiven verwandt (die Verstrickung der Heldin in Blutschuld und ihr programmiertes Zugrundegehen, doch der Komponist unternimmt den Versuch ihrer «Entlastung»), und sie entstanden zur gleichen Zeit. Das eine ist Alban Bergs «Lulu», nach Frank Wedekinds «Büchse der Pandora» komponiert in den Jahren 1928 bis 1935, die andere ist Schostakowitschs *Lady Macbeth*. 1932 gab er in der Zeitschrift «Sowjetische Kunst» folgende Erklärung:

Ich arbeite an der «Lady Macbeth» schon etwa zweieinhalb Jahre. Die «Lady Macbeth» soll der erste Teil einer geplanten Trilogie sein, die der Lage der Frau in den verschiedenen Epochen in Rußland gewidmet sein wird. Das Sujet der «Lady Macbeth des Mzensker Kreises» entnahm ich der gleichnamigen Erzählung von Ljeskow. Diese Erzählung entzückt den Leser durch eine außergewöhnliche Klarheit und Stringenz. Hinsichtlich der überaus präzisen und tragischen Abbildung des Schicksals einer talentierten, klugen und überdurchschnittlichen Frau, die an den widrigen Umständen des vorrevolutionären Rußland zugrundegeht, nimmt diese Erzählung nach meiner Ansicht eine der ersten Stellen ein. Maxim Gorki hat es anläßlich seines Jubiläums ausgesprochen: «Wir müssen lernen. Wir müssen unser Land erkennen, seine Vergangenheit, seine Gegenwart und seine Zukunft.» Und die Erzählung Ljeskows entspricht dieser Forderung Maxim Gorkis, wie man es sich nicht besser wünschen kann.

Dies kann man als Absicherung verstehen (Schostakowitsch war nicht naiv): Gorki war damals wohl der wichtigste «Kulturpapst». Mit Ljeskow allein wäre er nicht «durchgekommen». Seine Erzählung ... *ist eine unglaublich eindrucksvolle Schilderung einer der dunkelsten Epochen des vorrevolutionären Rußland. Für einen Komponisten ist die «Lady Macbeth» im wahrsten Sinne des Wortes ein Schatz. Die klare Zeichnung der Charaktere, die dramatischen Konflikte – dies alles hat mich sehr begeistert. Das Libretto hat Alexander T. Preuß, ein junger Leningrader Dramaturg, mit mir zusammen ausgearbeitet. Es beruht fast gänzlich auf Ljeskow, mit Ausnahme des 3. Aktes, der sich in seinen starken sozialen Bezügen etwas vom Ljeskowschen Vorbild unterscheidet. Eingefügt ist die Szene auf der Polizei und weggelassen der Mord Katerina Lwownas an ihrem Neffen.*

Die Oper ist von mir tragisch gedacht. Ich würde sagen, daß man die «Lady Macbeth» als tragisch-satirische Oper bezeichnen kann. Ungeachtet dessen, daß Katerina Lwowna zur Mörderin ihres Mannes und ihres Schwiegervaters wird, sympathisiere ich doch mit ihr. Ich versuchte, dem ganzen Milieu, das sie umgibt, einen makaberen, satirischen Charakter zu geben. Das Wort «satirisch» verstehe ich durchaus nicht im Sinne von «Lächerlichkeit, Spöttelei». Im Gegenteil: in der «Lady Macbeth» versuchte ich eine Satire zu schreiben, die die Satire desavouiert, die der schrecklichen Willkür und dem Hohn des Krämerdaseins die Maske herunterreißt und einen dazu bringt, es zu hassen.

Auch hier liegt der Gedanke an eine «Absicherung» nahe. Schostakowitschs Auffassungen von der Ambivalenz der Satire mögen nicht sehr opportun gewesen sein – ein Ausfall gegen das «Kleinbürgertum» lag jedoch auf der erwünschten Linie. In der Musik hatte er ohnehin schon zurückgesteckt:

Das musikalische Material der «Lady Macbeth» ist grundverschieden von dem meiner vorigen Oper «Die Nase». Es ist meine tiefe Überzeugung, daß in einer Oper gesungen werden soll. Und alle Gesangspartien in der «Lady Macbeth» sind sanglich, kantabel. Das Orchester wächst an einigen pathetischen Stellen zur Bedrohlichkeit an. Ein Militärorchester ist einbezogen und verschiedene zusätzliche Instrumente . . . [136]

Die Oper, in der Schostakowitsch mit der ungebrochenen Schaffenskraft seiner Jugend das verwirklichte, was er inzwischen als Aufgabe der Musik auf der Bühne ansah, fand von Anfang an positiven Widerhall. Der damals in der UdSSR gastierende Sänger Sergej Radamsky erinnert sich: «Als seine Oper *Lady Macbeth von Mzensk* 1932 uraufgeführt wurde, wurde sie von der Leningrader Presse stürmisch begrüßt, ja, in den Fabriken eingeführt und diskutiert. Man unterbrach die Arbeit für eine Stunde, ein Klavier wurde in einer großen Montagehalle aufgestellt und Ausschnitte aus dem Werk vorgespielt und gesungen; dann erklärte man, weshalb dieses nun die große proletarische Oper wäre und daß sie komponiert sei von ‹einem unserer Söhne, dessen Vater und Mutter auch in unserer großen Stadt geboren sind› . . .»[137] Der Schriftsteller Ervin Sinkó vermerkt in seinem Moskauer Tagebuch, wie schwierig für diese Oper Karten zu bekommen waren[138]; er empfand die Aufführung als turmhoch über dem «offiziellen, staatserhaltenden Kitsch»[139], der «propagierten Fröhlichkeit»[140] als eine einsame Ausnahme[141], und es beeindruckte ihn, wie das Publikum «jedem Wort mit intensiver Spannung folgt und jedes

Wort versteht» [142]. Die Untersuchungen von Boris Schwarz belegen 83 Aufführungen in Leningrad und 97 in Moskau, die Oper wurde aber auch in Prag, London, Ljubljana, Zürich, Kopenhagen und Cleveland gegeben und ihr brutaler erotischer Verismo gerade im prüden Amerika als kommunistische Tendenz bewertet. [143] Die sowjetische Kritik war des Lobes voll.

Schostakowitsch, auf Konzertreise mit dem Cellisten Viktor Kubatzki in Archangelsk, glaubte daher seinen Augen nicht zu trauen, als er am 28. Januar 1936 in der «Prawda» den redaktionellen Artikel «Chaos statt Musik» las:

«Manche Theater servieren dem sowjetischen Publikum, das erhöhte kulturelle Ansprüche stellt, D. Schostakowitschs Oper *Lacy Macbeth von Mzensk* als etwas Neues, als eine große Errungenschaft. Eine diensteifrige Musikkritik hebt diese Oper in den Himmel und überschüttet sie lärmend mit Ruhm. Statt einer sachlichen und ernsthaften Kritik, die ihm in seiner weiteren Arbeit von Nutzen sein könnte, bekommt der junge Komponist nur enthusiastische Komplimente zu hören. Von der ersten Minute an verblüfft den Hörer in dieser Oper die betonte disharmonische, chaotische Flut von Tönen, Bruchstücke von Melodien, Keime einer musikalischen Phrase versinken, reißen sich los und tauchen erneut unter in Gepolter, Geprassel und Gekreisch. Dieser ‹Musik› zu folgen, ist schwer, sie sich einzuprägen, unmöglich.

Das gilt fast für die ganze Oper. Auf der Bühne wird der Gesang durch Geschrei ersetzt. Gerät der Komponist gelegentlich in die Bahn einer einfachen und verständlichen Melodie, so stürzt er sich sofort wieder, als wäre er erschrocken über ein solches Unglück, in das Labyrinth des musikalischen Chaos, das stellenweise zur Kakophonie wird. Die Ausdruckskraft, die der Hörer erwartet, wird durch einen wahnwitzigen Rhythmus ersetzt. Durch musikalischen Lärm soll Leidenschaft zum Ausdruck kommen.

Der Grund für all das liegt nicht in der mangelnden Begabung des Komponisten, nicht in seinem Unvermögen, einfache und starke Gefühle in der Musik auszudrücken. Diese absichtlich ‹verdrehte› Musik ist so beschaffen, daß in ihr nichts mehr an die klassische Opernmusik erinnert und sie mit symphonischen Klängen, mit der einfachen, allgemeinverständlichen Sprache der Musik nichts mehr gemein hat. Das ist eine Musik, die nach dem gleichen Prinzip der Negierung der Oper aufgebaut ist, nach dem die ‹linke› Kunst überhaupt im Theater die Einfachheit, den Realismus, die Verständlichkeit der Gestalt, den natürlichen Klang des Wortes negiert. Diese Musik kommt einer Übertragung der noch um ein Vielfaches gesteigerten negativen Züge des Meyerholdschen Theaters auf die Oper gleich. Das ist ‹linke› Zügellosigkeit an Stelle einer natürlichen, menschlichen Musik. Die Fähigkeit guter Musik, die Massen mitzureißen, wird hier kleinbürgerlichen formalistischen Anstrengungen und der Verkrampfung geopfert, damit man mit den Methoden der Originalitätshascherei Originalität vortäuschen kann. Dies ist ein Spiel mit ernsthaften Dingen, das übel ausgehen kann.

Die Gefahr einer solchen Richtung in der Sowjetmusik liegt klar auf der Hand. Die ‹linke› Entartung in der Oper hat den gleichen Ursprung wie die ‹linke› Entartung in der Malerei, der Dichtung, der Pädagogik und der Wissenschaft ...»[144]

Die Oper wurde sofort von allen Bühnen abgesetzt. Neun Tage später, am 6. Februar, erschien in der «Prawda» ein weiterer redaktioneller Artikel, «Verfälschtes Ballett», gegen sein Ballett *Der helle Bach*, das gleichfalls von den Bühnen verschwand.[145] Es folgten weitere Pressekampagnen, die Formalismus auch in seinem *Klavierkonzert* und seinen *Präludien* nachwiesen und den Nutzen seiner Musik für die sowjetische Kultur bezweifelten.[146] Vom 10. bis 15. Februar schloß sich ein Komponistenkongreß an, auf dem auch gegen andere Komponisten wie Alexander Mossolow, Gabriel Popow und Heinrich Litinski der Formalismusvorwurf erhoben wurde; den Vorwürfen gegen Schostakowitsch schlossen sich zu seiner Enttäuschung viele mit eigenen eifrigen Beiträgen an, die die Oper vorher gelobt hatten.[147] Andererseits erwies sich das als ratsam, denn die «Prawda» tadelte auch andere Blätter wie die «Iswestija» und die «Literaturnaja Gasjeta», die sich dieser Kampagne nur zögernd anschlossen, und mehrere sowjetische Musikwissenschaftler, die heute zu den bedeutendsten Vertretern ihres Faches zählen, fielen damals in Ungnade.[148] Über den Artikel «Chaos statt Musik», der heute im sowjetischen Bereich als «überspitzt und unsachlich»[149] bezeichnet wird, wurde immerhin noch 1948 von Andrej Schdanow mitgeteilt: «Dieser Aufsatz erschien auf Weisung des Zentralkomitees und brachte die Meinung des ZK über Schostakowitschs Oper zum Ausdruck.»[150]

«Seitdem jener Artikel in der ‹Prawda› veröffentlicht wurde, ist es taktlos, Schostakowitschs Namen überhaupt zu erwähnen»[151], schrieb Ervin Sinkó am 9. Februar 1936 in sein Tagebuch. Und am 17. Februar 1936: «Babel erzählt, daß Schostakowitsch Selbstmord begehen wollte. Stalin bestellte ihn jedoch zu sich und tröstete ihn mit den Worten, er müsse das, was die Zeitungen schreiben, nicht so schwernehmen – er solle verreisen und – versuchen, Volkslieder zu studieren.»[152] (Viele der inzwischen mundtoten Komponisten der zwanziger Jahre, wie Lew Knipper und Alexander Mossolow, taten das übrigens schon.)

Über die Hintergründe dieser Ereignisse ist in Ost und West seither viel gedeutet und gemutmaßt worden. Ein gewisser Viktor Gorodinski, einst Kommilitone Schostakowitschs am Petrograder Konservatorium, Leiter des Kunstsektors beim ZK (einem Posten, von dem er 1937 entfernt wurde), soll zur Formulierung des «Prawda»-Artikels die Hand geboten haben, und bemühte sich damals, Kollegen zu Anti-Schostakowitsch-Artikeln zu veranlassen.[153] Sinn des Verfahrens sei gewesen, eine konkurrierende Oper, «Der stille Don» von Iwan Iwanowitsch Dserschinski, als Musterbeispiel des «Sozialistischen Realismus» aufzubauen, und dazu mußte die *Lady Macbeth*, die diesen Platz anerkanntermaßen einnahm, vom Sockel gestoßen werden; Gorodinski soll in dieser Hinsicht das Ohr Stalins gehabt haben. Dies wird bei Stephan Stompor indirekt bestätigt: «Wenige Tage vor dem Erscheinen des ‹Prawda›-Artikels besuchte Stalin die Uraufführung von Iwan Dserschinskis Oper ‹Der stille Don› in Moskau und sprach sich lobend über das Werk aus; von nun an galt ‹Der stille Don› für lange Zeit als Muster einer volkstümlichen Oper...»[154] Das Absurde daran war, daß Schostakowitsch selbst es gewesen war, der «den unsicheren Dserschinski mit Rat und Tat bei der Komposition des ‹Stillen Don› unterstützt hatte»[155]. Der sowjetische Meyerhold-Experte Boleslaw Rostocki hält es gar für denkbar, daß sich die *Lady Macbeth*-Kampagne weniger gegen Schostakowitsch selbst als gegen Meyerhold gerichtet habe, gegen die ganze dramaturgische Konzeption des damaligen «linken Theaters»: «Man muß auch berücksichtigen, daß bei der Kritik an Schostakowitschs Oper, deretwegen ja gerade das Problem der ‹Meyerholderei› von der Presse aufgeworfen wurde, nicht nur Einseitigkeit, sondern auch jene ungerechte und kategorische Härte des Urteils im Spiel waren, die eine objektive Betrachtung der Problematik keineswegs förderte.»[156] Der englische Musikwissenschaftler Norman Kay versucht die Vorkommnisse aus der damaligen sowjetischen Politik zu erklären: gerade die «feministische» Tendenz der *Lady Macbeth* habe den zunehmend patriarchalischen Grundsätzen der damaligen Sowjetgesellschaft widersprochen: «Zu einer Zeit, als man das Überleben des Staates in Gefahr glaubte und ein ungeheurer, wesentlich männlicher Akt der Anstrengung erforderlich war, war die Haltung des weiblich inspirierten, zärtlichen Verstehens den Machthabern ein Greuel.»[157] In der Tat geschahen damals rasche und umwälzende Veränderungen der politischen Orientierungen, zum Beispiel das plötzliche Verbot der Abtreibung, die bis dahin als revolutionäre Errungenschaft gefeiert worden war[158], oder eine neue Aufwertung des bislang suspekten russischen Nationalismus.[159] Die kulturelle Szene hatte sich insbesondere durch den Rücktritt des Kulturkommissars Lunatscharski und seine Ersetzung durch Andrej Schdanow verändert und verschärft.[160]

Die Oper wurde erst Ende der fünfziger Jahre wiederentdeckt – zunächst auf Betreiben des Dramaturgen Reinhold Schubert in der Urfassung 1959 in Düsseldorf unter Leitung von Alberto Erede in der Inszenierung von Bohumil Herlischka.[161] Um in der Sowjet-Union wieder akzeptiert zu werden, wurde sie 1962 vom Komponisten einer neuen Redaktion unterworfen, in der sie den Titel *Katharina Ismailowa* erhielt.[162] Die musikalischen Veränderungen sind geringfügig (extreme Stimmführungen der Gesangspartien wurden gemildert), freilich auch nivellierend: im 3. Bild wurde jene brutale, aufreizende Beischlafmusik gekürzt, die bei der Moskauer Aufführung Stalins besonderen Unwillen erregt hatte.[163] Einschneidender sind die textlichen Korrekturen: hieß es etwa in der Fassung 1934: *Alles paart sich und folgt seinem Trieb allein! Dort der Hengst läuft der Stute nach, und hier deckt der Täuberich die Taube! Warum aber kommt denn keiner zu mir?* lautete diese Stelle in der Fassung 1963: *Wenn ich traurig bin, dann schau ich betrübt aus dem Fenster: unterm Dach hängt ein kleines Nest. Darin gurren Tauber und Täubchen. Sie fliegen zusammen droben am Himmel.* Die neue Fassung entschärft diese und ähnliche Stellen[164] im Sinne biedermeierlicher Unanstößigkeit und will damit «gewisse brutale und pathologische Züge im Charakter Katharinas reduzieren»[165]. ✗

Schostakowitsch selbst war es verwehrt, 1936 bei dem Komponistenkongreß über sein Werk zugegen zu sein[166], während man andererseits ausländische Teilnehmer eingeladen hatte, um über den Mißerfolg der ✗ *Lady Macbeth* in Amerika zu referieren.[167] Dergleichen Scherbengerichte spielen sich in Abwesenheit des Betroffenen ab – es ist gerade das Fehlen aller Begriffe von «Persönlichkeitsschutz», die diese Verurteilungsmechanismen kennzeichnet, die Möglichkeit der offiziellen Falschbehauptung und die Unmöglichkeit ihrer Richtigstellung. Von den geladenen Komponisten widerstanden nur wenige – wie Wissarion Schebalin oder Dimitri Kabalewski – der Versuchung, im Losschlagen auf Schostakowitsch das eigene Fell zu retten, wie denn der erbittertste Feind des Komponisten, und das auf der ganzen Welt, unter Umständen nicht der Parteisekretär ist, die politische Macht, sondern der andere Komponist. Andererseits ist für diese Macht auch der Künstler in seiner relativen Schutzlosigkeit, in seiner nicht ökonomisch nachweisbaren Nützlichkeit und als Konkurrent um öffentlichen Ruhm ein besonders naheliegendes Objekt, um die Rolle des abhanden gekommenen politischen Gegners stellvertretend zu spielen, um einen allzeit latenten Bedarf an besiegbaren Feinden eindrucksvoll decken zu helfen. Nicht Schostakowitsch hatte sich in seinen Werken und Äußerungen vom proletarischen Ethos entfernt, nicht er hatte der Sowjetmacht die Solidarität aufgekündigt, sondern die Macht ihm, in ihrem unbezwingbaren Drang zu reglementieren. Es war keine Abwehr feindlicher Ideen, sondern eine Verwüstung des eigenen Territoriums, wie sie der Hierarchie von Zeit zu Zeit (nicht nur in Rußland) beliebt.

Der Schachspieler Schostakowitsch muß an diesem Punkt einige Erkenntnisse gewonnen haben, die seinen weiteren Weg bestimmten. Er hörte auf, ein «engagierter Gegenwartskomponist» zu sein, den neue Techniken und die Gesetze neuer Medien vorrangig interessierten; ihn interessierte fortan sein eigener Weg. Sein Schaffen eignete sich kaum noch neue stilistische Elemente an, sondern eher stilistische Dimensionen; es gewann ein Geschichtsbewußtsein, das bei den Komponisten des ✗ 20. Jahrhunderts seinesgleichen sucht. Es muß ihm klar geworden sein, daß es für sein Werk zwischen Vergötterung und Ausrottung keinen dritten Weg geben konnte und daß das eine wie das andere nicht vollständig von musikalischen Gründen abhing: er mußte die Musik, die er schreiben wollte und konnte, mit dem passenden Etikett verkaufen. Und für sich selbst suchte er das Gesetz, daß der Komponist des Komponisten Wolf sei, zu unterlaufen: er machte Verbandsarbeit, ließ sich in die Gremien wählen, setzte sich ein für Lebende und Tote, er praktizierte Solidarität.

Die V. Sinfonie zeigt gerade in ihrem elegischen Duktus den deutlichen ⎛ Einfluß seines sinfonischen Vorgängers Gustav Mahler. Schostakowitsch ⎝ hat diesen Komponisten überaus hochgeschätzt. Edison Denissow überliefert aus den fünfziger Jahren ein Gespräch mit ihm: «Er sagt, daß er, während er krank lag, sechs- bis siebenmal ‹Das Lied von der Erde› von

Schostakowitschs bewährter Freund und Komponistenkollege, Wissarion Schebalin

Gustav Mahler gehört habe und es nun auswendig kenne. Mir fiel ein, daß er zuvor, als wir im ‹Aragwi› zusammen waren, gesagt hatte, daß der letzte Satz des ‹Liedes von der Erde› das Genialste sei, was in der Musik je geschaffen wurde: *Dies steht höher als Bach und Offenbach.* Er machte sich ein bißchen darüber lustig, daß bei Mahler die ‹Ewigkeit› mit der Celesta dargestellt werde . . .»[168]

Freilich hatte er im Schlußsatz seiner eigenen IV. Sinfonie die Celesta nicht minder liebevoll behandelt. Der Einfluß Mahlers datierte nicht erst seit 1936 und ist schon in der IV. Sinfonie unüberhörbar; sein besonderes Interesse für ihn scheint auch von seinem langjährigen Freund, dem Musikwissenschaftler Iwan Iwanowitsch Sollertinski, inspiriert; dessen Arbeit über «die Sinfonien Gustav Mahlers» (1932) liest sich bisweilen wie eine Studie über die Archetypen der späteren Schostakowitschschen Sinfonik.[169] Auch wenn sich Schostakowitsch häufig auf Offenbach bezieht, der ihn als genialer musikalischer Satiriker interessierte, scheinen Anregungen Sollertinskis im Hintergrund zu stehen.[170] Die Bekanntschaft Schostakowitschs mit Sollertinski, der als Musikkritiker, seit 1927 dann als musikalischer Berater und seit 1939 bis zu seinem Tode 1944 als künstlerischer Leiter an der Leningrader Philharmonie wirkte, datierte schon von 1921 und vertiefte sich später zur Freundschaft: Sollertinski gab Schostakowitsch Deutsch- und dieser jenem Klavierstunden.[171] Sollertinski gehörte zu den frühesten Verfechtern der Werke Schostakowitschs und mußte 1948 deswegen postume Anfeindungen über sich ergehen lassen: «Durch die Bemühungen einer Reihe von ‹Troubadouren› des Modernismus – Sollertinski und anderer – entstand eine Atmosphäre, in der formalistische Experimente ermutigt und das formalistische Schaffen rehabilitiert wurde. In dieser Atmosphäre schrieb Schostakowitsch sein Klavierkonzert und die 4. Sinfonie: Werke, in denen sich die ideellen und künstlerischen Fehler seines Schaffens konsequent vertieften.»[172] Schostakowitsch widmete Sollertinskis Andenken sein Klaviertrio op. 67.[173]

Die V. Sinfonie resultierte aus der Auseinandersetzung mit Mahler; es ist keineswegs ein dur-moll-frommes Stück von künstlicher Volkstümlichkeit: die Themen etwa des I. Satzes sind rein chromatisch, das zweite «zwölftönig» – Sofia Chentowa verweist darauf, wie gerade das Skalenmaterial dieser Themen zum Anstoß theoretischer Untersuchungen wurde.[174] Man kann in der Komposition nicht lügen, und Schostakowitsch hat es nicht getan: es gibt kaum ein «subjektiveres» Stück, und als solches wurde es auch von den Zuhörern der Leningrader Uraufführung unter Jewgeni Mrawinski am 21. Oktober 1937 begriffen und triumphal gefeiert.[175] Wenn es Schostakowitsch fertigbrachte, dieses Stück gewissermaßen als einen «neuen Anfang» auszugeben, als seine *komposi-*

Schostakowitsch mit seinem Freund, dem Musikwissenschaftler Iwan Sollertinski

torische Antwort auf die kritischen Artikel in der «Prawda» den bisherigen Anfeindungen zu entziehen[176], gelang dies auch deshalb, weil er klug genug gewesen war, das «Bindeglied» zwischen seinen frühen Sinfonien und dieser: seine IV. Sinfonie, freiwillig aus dem Verkehr zu ziehen. Auch diese Sinfonie war monumental und «mahlerisch» angelegt gewesen, wohl in «Filmschnitt»-Technik und mit satirischen Episoden zweifellos eines seiner bedeutendsten Werke; die kulturpolitische Situation Anfang 1936 wie auch die lustlose Probenarbeit des Dirigenten Fritz Stiedry verhießen aber für das Schicksal des Werkes nichts Gutes, und Schostakowitsch zog sie vor der Uraufführung aus den Proben zurück.[177]

Freilich ist die V. Sinfonie formal nicht mehr, wie die IV. Sinfonie, den Anstößen aus Film und Theater verpflichtet[178], sondern hat die gute alte vierteilige Form; und eben das, was in Schostakowitschs Stil Erbe des Futurismus und der Meyerholdschen «Biomechanik» gewesen war, scheint zurückgedrängt, was ihre Aufnahme beim romantisch erzogenen Publikum erleichtert haben wird. In gewisser Hinsicht bedeutet sie schon ein Zurücktauchen in die vorausgegangene Epoche der «spätromantischen Moderne», die in Rußland mit Skrjabin als große Tradition in Erinnerung war. Die Begeisterung, die die Sinfonie bald auch im Ausland – Paris, New York, Boston – weckte, war eine Begeisterung am Konservativen (die «Humanité» registrierte eine Wendung zu Tschaikowsky[179]), die allerdings im Zug der Zeit lag. In Rußland löste ihre harmonische Struktur auch Formalismusvorwürfe aus.[180] Und der Schriftsteller Alexander Fadejew vertraute seinem Tagebuch, ungeachtet aller Jubelinterpretationen, die Intuition an: «Der Schluß klingt nicht wie ein Ausweg (und um so weniger nach einer Feier oder einem Sieg), sondern, als wenn an jemandem eine Bestrafung oder eine Rache verübt wird.»[181] Schostakowitsch hat diese Sinfonie immer als autobiographisch bezeichnet.[182] Und der 2. Satz der X. Sinfonie, in dem er 1953 «das schreckliche Gesicht von Stalin» porträtierte[183], hat Ähnlichkeit mit diesem Schlußsatz.

Zu den Etiketten, die eine Musik in Rußland – vor allem unter den damaligen Umständen – akzeptabel machten, gehörte das Vorhandensein eines «Ideenkonzepts», eines «Inhalts», das heißt der Komponist mußte zum Schluß seiner Arbeit unter die Dichter gehen und ein möglichst brauchbares Konzept hinzuliefern, nach dem seine Arbeit dann beurteilt wurde. Diese Auffassung wurzelt nicht erst in den Widerspiegelungstheorien des Sozialistischen Realismus – auch in den Kunstauffassungen des ausgehenden 19. Jahrhunderts galt eine Musik ohne Inhalt, ohne Ethos, als suspekt.[184] Am Ende liegen ihre Voraussetzungen noch tiefer und unbewußt in der Geschichte: die russische Kirchenmusik kennt keine Musik außerhalb der Wortverkündigung[185] – Instrumental- und Figuralmusik sind ihr tabu –, und auch in der zugrunde liegenden byzantinischen Musik hat jedes Notenzeichen neben seiner Tonbedeutung zugleich sein «Ethos».[186] Nach der triumphalen Aufnahme der V. Sinfonie blieb das Echo der 1939 komponierten VI. Sinfonie, die so unüblich mit einem elegischen Largo beginnt, blaß, weil die Kritiker ihren Inhalt nicht zu deuten wußten[187];

später wurde sie unter die formalistischen Werke gerechnet.[188] Es kam im Komponistenverband zu einer der üblichen Beurteilungsdebatten, «obsuždenie» auf russisch[189], von denen fortan in zunehmendem Maße (und das bis heute) das Schicksal eines Werkes abhängt: ob es zur öffentlichen Aufführung zugelassen wird oder nicht. Dabei ist zu unterscheiden: das gegenseitige, schonungslose Kritisieren ihrer Werke hat unter russischen Komponisten eine alte Tradition (an der sich auch Schostakowitsch beteiligte); als Zunftbrauch (aus dem der Betroffene lernen soll) ist sie sicher unbedenklich, solange sie nicht zum Monopolinstrument kulturpolitischen Diktats pervertiert, zum Kontrollwerkzeug einer Mehrheit der Mittelmäßigen über den originellen Einzelgänger. Schostakowitsch befand sich damals (und immer wieder) in der Rolle des letzteren. Im Westen nahm sich dann Leopold Stokowski des Werkes an.[190]

Auch die VIII. Sinfonie (1943), an Bedeutung sicher mit der IV. Sinfonie zu vergleichen – Sollertinski betrachtete sie überhaupt als Gipfel des Schostakowitschschen Schaffens[191] –, erlitt wieder das Schicksal, mangels eines einleuchtenden Ideenkonzepts von der Presse kaum beachtet zu werden.[192]

In der erwünschten Sinfonik wird die Widerspiegelung des Ringens positiver und negativer Gestalten erwartet, verkörpert in den dialektisch

Konzertsaal des Leningrader Konservatoriums.
Hier wurde die I. Sinfonie uraufgeführt

Wohnhaus Schostakowitschs in der Leningrader Großen Kanonierstraße (Bolschaja Puschkarskaja), Entstehungsort der «Leningrader Sinfonie»

einander entgegengesetzten Themen des Sonatenhauptsatzes. Natürlich muß zum Schluß das Wahre, Gute und Schöne siegen – für Pessimismus besteht kein Bedarf. Das Konzept der VII., «Leningrader», Sinfonie (1941) hatte offensichtlich ganz anders ausgesehen, und aus der Diskrepanz zwischen Struktur und Interpretationsschema entstand ein geradezu historisches Mißverständnis, das übrigens dem Erfolg der Sinfonie keinen Abbruch tat.

Die Vaterstadt Leningrad hatte in all den Jahren zu Schostakowitsch und Schostakowitsch zu ihr gestanden. Ungeachtet des *Lady Macbeth*-Debakels bekam er hier eine Professur am Konservatorium – zum Unterrichten hatte er jetzt auch mehr Zeit. Er wurde in den Vorstand der Leningrader Abteilung des Komponistenverbandes gewählt – eine Aufgabe, deren er sich mit der ihm eigenen Gewissenhaftigkeit annahm.[193] Damals schlug er auch die Aufführung der I. Sinfonie des jungen Komponisten Tichon Chrennikow zur Aufführung in der Saison 1940/41 vor.[194]

Am 21. Juni 1941 überfiel Hitler unter Bruch unlängst geschlossener Pakte die Sowjet-Union, traf auf eine unvorbereitete Führung – die deutsche Kriegsmaschinerie eroberte das Land in Eilmärschen und führte den Krieg mit unvorstellbarer Grausamkeit.[195] Leningrad lag bald unter Beschuß und sah sich, nachdem Schlüsselburg gefallen war, von seinem südöstlichen Landzugang abgeschnitten.[196] Schostakowitsch meldete sich zweimal als Kriegsfreiwilliger und wurde abgewiesen: noch sei die Lage nicht so ernst. Genommen wurden seine Schüler: der junge Benjamin Fleischmann fiel bald in einem Panzergefecht und hinterließ eine unvollendete Oper «Rothschilds Geige» nach Tschechow. Schostakowitsch wird sie nach dem Klavierauszug zu Ende instrumentieren; eine Experimentalstudio-Aufführung fand 1968 statt.[197] Schostakowitsch hob mit einer Konservatoriums-Brigade Schützengräben in der Umgebung aus, war auf dem Konservatoriumsdach zur Brandwache eingeteilt; hier entstand jenes historische Foto, das Schostakowitsch in Feuerwehr-Uniform auf dem Titelblatt der «Time» vom 20. Juli 1942 zeigt. Später widmet er sich der musikalischen Truppenbetreuung, verfaßte und sprach Aufrufe im Leningrader Sender. In diesen Tagen begann Schostakowitsch eine neue Sinfonie zu komponieren – blieb in seiner Wohnung, wenn die Familie in den Luftschutzkeller eilte; auf dem Hintergrund von permanentem Artilleriebeschuß entstand der I. Satz.

Seine VII. Sinfonie war eigentlich schon lange geplant und bereits angekündigt gewesen: als Sinfonie mit Chor und Solisten zum Andenken an Lenin – dieses Projekt legte er beiseite[198] wie auch den Plan, eine neue Vokalsinfonie mit selbstverfaßtem Text zu komponieren.[199] Die Instru-

Schostakowitsch auf Brandwache auf dem Dach des Leningrader Konservatoriums, auf dem Titelblatt der «Time» vom 20. Juli 1942

mentalsinfonie, zu der er sich entschloß, hat jedoch gleichwohl eine Textgrundlage, wie er einmal im vertrauten Gespräch mitteilte: die Psalmen Davids, insbesondere wo es heiße: «Gott nimmt Rache für vergossenes Blut», hätten ihm den emotionalen Impuls gegeben.[200] Dem Zusammenhang nach muß es sich um den 79. Psalm[201] , der «Klage wider die Zerstörer Jerusalems» gehandelt haben, wo es heißt: «Gott, es sind Heiden in dein Erbe gefallen, die haben deinen heiligen Tempel verunreinigt und aus Jerusalem Steinhaufen gemacht. Sie haben die Leichname deiner Knechte den Vögeln unter dem Himmel gegeben und das Fleisch deiner Heiligen den Tieren im Lande. Sie haben Blut vergossen um Jerusalem her wie Wasser; und war niemand, der begrub ... Warum lässest du die Heiden sagen: ‹Wo ist nun ihr Gott?› Laß unter den Heiden vor unsern Augen kund werden die Rache des Bluts deiner Knechte, das vergossen ist.»

Der erste Satz dieser «Programmsinfonie» hat drei Themen, die sich zueinander wie Teile eines Variationszyklus verhalten; etwa wie die drei Versetten des Kyrie spielen sie sich, bei unterschiedlicher melodischer und rhythmischer Profilierung, im selben Tonraum ab, haben dieselben Eck-, Ziel- und Ruhetöne, und im übrigen wirklich etwas von der Einfachheit alter liturgischer Melodien. Der Satz bezieht seine grandiose Wirkung unter anderem aus dem Prinzip der neuentdeckten Einstimmigkeit, hierin den stilistischen Entwicklungen der siebziger Jahre vorausgreifend. Das Vorbild von Ravels «Bolero» hat Schostakowitsch hierbei nie verleugnet.[202] Und: *Besondere Aufgaben ... können zu besonderen Varianten dieser oder jener traditionellen Form führen ... Für mich persönlich galt es im 1. Satz meiner VII. Sinfonie, die übliche Sonatendurchführung aufzugeben und an ihre Stelle eine neue Mittelepisode zu setzen, die sich als Variation entwickelt. Eine solche Form ist, soviel ich weiß, in der Sinfonik nicht häufig; der Gedanke dazu kam mir unter dem Eindruck des Programms (wie auch zu einigen rein illustrativen Mitteln in der Episode «Die Invasion»).*[203] So betitelt Schostakowitsch jenen Abschnitt, der von penetrantem Trommelwirbel (= Trommelfeuer) untermalt, mit dem Eintritt des dritten Themas oder besser: der dritten Themenversion beginnt, die anschließend in elf Variationen «durchgeführt» wird. Da nun in der Sinfonik – und hier beginnt das historische Mißverständnis des Werkes – positive und negative Gestalten miteinander zu ringen haben und ein Thema immer «Etwas» verkörpern muß, wurde diese dritte Themenversion (im Marschrhythmus) zu einer Darstellung der «Fratze des Faschismus» erklärt[204] , und eifrige Autoren haben sich immer wieder nachzuweisen bemüht, wie satirisch und grotesk Schostakowitsch dessen Bild gezeichnet habe, wie typisch er die «Charakterzüge, die gefühlshaften Eigentümlichkeiten und die Weltanschauung des aufmarschierenden Faschistenheeres» gestaltete.[205] Schostakowitsch hat in seinem Leben viel karikierende und groteske Musik geschrieben, aber ausgerechnet hier kann man bezweifeln, daß er darauf aus war.

Der Einwand liegt nahe: das Faszinierende dieses Satzes liege eben in der elfmaligen Wiederholung dieser Themenversion in immer neuen Fa-

Porträt aus den vierziger Jahren

cetten der Instrumentation, der Tonhöhe, der Kontrastierung mit Gegenstimmen. Diese ständige, variierte Wiederholung gibt dem Satz den Charakter einer Litanei, einer Beschwörung. Jede Erklärung wäre glaubhaft, die besagen würde, daß Schostakowitsch mit dieser Variationskette seinen kämpfenden Landsleuten ein Denkmal setzen wollte: ihrer Beharrlichkeit und kombinierenden Phantasie, dank derer Hitler in ihnen schließlich seinen Meister fand. Vermutlich ist der Sinn der Sinfonie so zu verstehen. Da aber – laut offizieller Deutung – diese faszinierende, beschwörende Variationskette den «Faschisten» zugeordnet war, mußte dies Einwände zur Struktur der Sinfonie wachrufen, und sie blieben nicht aus: als es Schostakowtisch in den Kampagnen von 1948 wieder hart an den Kragen ging, hakte sein alter Intimfeind aus der RAPM-Ära, der Jazzgegner Marian Kowal, eben hier folgerichtig ein: «Kräfte, die diesem faschistischen Affenmarsch entgegengesetzt würden, gibt es in der Musik von Schostakowitsch nicht. Es gibt da nur einige abstrakt-humanistische Gedanken, die in der Musik gesagt werden: wesentlich minder begeisternd, viel eher rational. Mit dem faschistischen Marsch kollidiert nur die Verzweiflung am Widerstand, was dann zu einer tragischen Kulmination führt. Die Kraft, die dem faschistischen Thema entgegengestellt wird, müßte sich in dieser Sinfonie aus Melodien des russischen Volkes und anderer Völkerschaften der UdSSR zusammensetzen, um so die Kraft und das Vermögen des sowjetischen Volkes auszudrücken ...»[206]

Und der junge Komponist Tichon Chrennikow, für dessen I. Sinfonie sich Schostakowitsch eingesetzt hatte und der inzwischen zum I. Sekretär des Komponistenverbandes avanciert war, blies in dasselbe Horn: «Die VII. Sinfonie von Schostakowitsch hat gezeigt, daß sich sein musikalisches Denken viel tüchtiger erwies, um die unheildrohenden Gestalten des Faschismus und eine Welt subjektiver Reflexionen auszudrücken, als die heroischen Vorbilder unserer Gegenwart zu verkörpern. Die intonatorische Abstraktheit, der Kosmopolitismus der musikalischen Sprache von Schostakowitsch, der sich nicht einmal in der Zeit des Krieges die Aufgabe stellte, der nationalen musikalischen Ausdrucksweise des Volkes näherzukommen, war dann auch eine Schranke dagegen, daß die VII. Sinfonie im sowjetischen Volk populär geworden wäre.»[207]

Doch diese Ereignisse folgten sieben Jahre später. Im Jahre 1941 hatte der Ernst der Kriegsereignisse die kulturpolitischen Querelen vergessen lassen. Die Bühnen und Konservatorien im Kriegsgebiet wurden in die östlichen Landesteile evakuiert – mit ihnen Solisten, Komponisten und Schriftsteller: Rußland brachte seine Elite in Sicherheit. Schostakowitsch hatte in Leningrad bleiben wollen; es scheint, daß seine Freunde aus der Filmarbeit wie Lew Trauberg, inzwischen in Offiziersrängen, einen Evakuierungsbefehl erwirkten, dem sich Schostakowitsch fügen mußte. Mit einer kleinen Transportmaschine wurden Schostakowitsch, seine Frau und seine beiden Kinder Galina und Maxim im Oktober 1941 aus dem blockierten Leningrad ausgeflogen, in zwei Bündeln nur das Allernötigste mit sich führend: Wintersachen, die noch nicht fertige Partitur der Siebenten und eine Puppe, von der sich Galja nicht trennen mochte. Mutter und Schwester wie auch die Eltern seiner Frau blieben in Leningrad zurück. Von Moskau ging es am 15. Oktober weiter in Richtung Ural; im selben Zug saßen Wissarion Schebalin, Dimitri Kabalewski, David Oistrach, Emil Gilels, Sergej Eisenstein, Valentin Katajew und Ilja Ehrenburg.[208]

Schostakowitsch kam nach Kuibyschew, wohin das Moskauer Bolschoi-Theater evakuiert war; hier komponierte er die VII. Sinfonie am 27. De-

Karikatur aus den vierziger Jahren (Brüder Kukrynix)

zember 1941 zu Ende, und hier wurde sie am 5. März 1942 unter Leitung von Samuil Abramowitsch Samossud uraufgeführt.[209] Es folgte eine Aufführung unter Samossud in Moskau, die vom Rundfunk übertragen wurde und dazu führte, daß auch in dem blockierten, verhungernden Leningrad eine Aufführung angesetzt wurde – die Mitglieder des Rundfunkorchesters wurden dazu von der Front zurückgeholt –, die unter Leitung von Karl Eliasberg am 9. August unter speziell organisiertem Feuerschutz zustande kam.[210] Aufführungen schlossen sich in allen größeren Städten an: in Taschkent, wohin das Leningrader Konservatorium evakuiert war, unter Mrawinskis Leitung[211], in Novosibirsk, wo sich die Leningrader Philharmonie befand[212] (und die Zeitung «Sowjetskaja Sibir» feierte sie als das «erste wirklich monumentale Werk sowjetischer Kunst»[213]), in Jerewan, Orenburg, Orsk und Baku.[214] Ein unglaublicher emotioneller Schub ging von dieser Sinfonie aus: in ihrer beschwörenden Konsequenz wurde sie zum Symbol des nationalen Widerstands. Auf Umwegen über Persien und Ägypten gelangte ihr Mikrofilm auch in den verbündeten Westen, wo sich Dirigenten wie Stokowski, Kussewitzky, Toscanini, Rodzinski, Mitropoulos, Monteux und Ormandy ihrer annahmen; in London begeisterte sich an ihr Bernard Shaw, in Amerika Béla Bartók[215], der sie schließlich in seinem «Konzert für Orchester» zitierte.[216] Auch hier wurde sie als politisches Symbol des Kampfes und Siegeswillens aufgefaßt. Als «Kriegssinfonie» bis nach Südamerika aufgeführt, brachte sie Schostakowitsch und der sowjetischen Musik jenes internationale Ansehen[217], von dem ihre Funktionäre heute noch träumen. In dieser Symbolrolle wurde sie nach der Befreiung von der deutschen Besatzung in Kiew, Odessa, Riga und Paris aufgeführt[218], sie wurde als Ballett getanzt[219] und – verjazzt[220]. Der Name Schostakowitsch wurde seitdem in einem Atemzug mit Strawinsky, Bartók, Schönberg und Hindemith genannt; auch in der Heimat galt er nun schon fast als Genie.[221] Die Einkünfte aus den westlichen Aufführungen hat Schostakowitsch in – Milchpulver angelegt, das nicht nur seiner Familie, sondern auch denen der Freunde und Komponistenkollegen zugutekam[222], wie er denn überhaupt das Geld für Staatspreise (für die VII. Sinfonie erhielt er den Stalinpreis I. Klasse[223]) zu spenden oder zu verteilen pflegte.[224]

Das zweite Scherbengericht

Das Donnergrollen begann kurz nach dem Krieg, am 14. August 1946, mit einem Scherbengericht auf der literarischen Szene: mit dem Beschluß des ZK der KPdSU über die Zeitschriften «Swjesda» und «Leningrad»[225], in denen der Satiriker Michael Soschtschenko (mit Schostakowitsch gut bekannt) und die Lyrikerin Anna Achmatowa, beide während des Krieges auch im Westen vielleicht zu bekannt geworden, zu Worte gekommen waren; und dies sei, befand das ZK, «ideologische Zersetzung». Den letzten Ausschlag hatte wohl gegeben, daß das Publikum sich vor einer Lesung der Dichterin in Moskau spontan erhoben hatte und dies als Demonstration gewertet worden war.[226] Andrej Schdanow, der geistige Urheber dieses Anna Achmatowa und Michael Soschtschenko verurteilenden Beschlusses, den er auf dem anschließenden Schriftstellerkongreß erläuterte[227], gilt auch als Initiator entsprechender Beschlüsse zum Theater (vom 26. August 1946) und Film (vom 4. September 1946)[228]; folgerichtig und sogar relativ spät kam am 10. Februar 1948 die Musik an die Reihe mit einem ZK-Beschluß über die Oper «Die große Freundschaft» von Wano Iljitsch Muradeli.[229] Diese Oper hatte Stalins Mißfallen erregt, weil ihr Libretto den Bürgerkrieg im Nordkaukasus 1918 bis 1920 «falsch» darstellte – den Parteisekretär Ordschonikidse, der als «Positiver Held» der Handlung fungiert, hatte Stalin wahrscheinlich selbst umbringen lassen.[230] Die Oper war indessen nur der «Aufhänger», der Sack, den man prügelt, wenn man den Esel meint, und der Esel, das waren jene russischen Gegenwartskomponisten, deren Selbständigkeit und internationales Ansehen während der Kriegsjahre zu sehr ins Kraut geschossen waren, in erster Linie Schostakowitsch. Am 20. Februar 1948 beschloß also das ZK der KPdSU:

«Schon im Jahre 1936 wurden im Zusammenhang mit der Oper *Die Lady Macbeth von Mzensk* in der ‹Prawda› die formalistischen, volksfremden Verzerrungen im Werke Schostakowitschs einer scharfen Kritik unterzogen und die Gefahr und Schädlichkeit dieser Richtung für die Sowjetmusik enthüllt ...

Ungeachtet dieser Warnungen und entgegen diesen Weisungen, die durch das ZK in seinen Beschlüssen über die Zeitschriften ‹Swjesda› und ‹Leningrad›, über den Film ‹Das große Leben›, über das Repertoire der dramatischen Theater und Maßnahmen zu seiner Verbesserung gegeben wurden, traten keinerlei Veränderungen in der sowjetischen Musik ein

Karikatur zur zeitgenössischen Musik in der offiziellen «Sowetskaja Musyka» 1948:
«Lyrisches Duett aus der Oper ‹Die große Freundschaft› von Muradeli»

... Besonders schlecht steht es um das sinfonische und um das Opernschaffen. Es handelt sich dabei um Komponisten, die die formalistische, volksfremde Richtung weiter aufrechterhalten. Ihren stärksten Ausdruck fand diese Richtung in den Werken von Komponisten wie Gen. Schostakowitsch, Prokofjew, Chatschaturjan, Popow, Mjaskowski und anderen, in deren Werken formalistische Verzerrungen und antidemokratische Tendenzen, die dem Sowjetvolk und seinem künstlerischen Geschmack fremd sind, besonders anschaulich vertreten sind ... Diese Musik hat ihren Geist vollständig der zeitgemäßen, übermodernen bürgerlichen Musik Europas und Amerikas überantwortet, die die Altersschwäche der bürgerlichen Kultur widerspiegelt ...

Die formalistische Richtung in der Sowjetmusik erzeugte bei einem Teil der Komponisten eine einseitige Begeisterung für schwierige Formen der instrumentalen, sinfonischen textlosen Musik und eine geringschätzige Einstellung zu Musikgattungen wie Oper, Chormusik, volkstümliche Musik für kleinere Orchester, für Volksinstrumente, Gesangsensembles usw. ...»[231]

In diesem Stil werden weiterhin die sowjetische Musikkritik, das Komitee für Kunstangelegenheiten beim Ministerrat der UdSSR und das Organisationskomitee des Sowjetischen Komponistenverbandes aufs Korn genommen, die «formalistische Richtung» wird als «volksfremd und zur Vernichtung der Musik führend» verurteilt.

Auch diesmal schloß sich ein Komponistenkongreß an, bei dem Andrej Schdanow das Einführungsreferat hielt, hierbei besonders auf die russischen Klassiker – Serow, Stassow – als Orientierungslinie verweisend.[232] Als Musikspezialist übernahm es der Verbandssekretär Tichon Chrennikow, die Nutzanwendung des «Beschlusses» zu formulieren.[233] Zu Schostakowitsch fiel ihm unter anderem ein: «Eine eigentümliche Chiffriertheit und Abstraktheit der musikalischen Sprache verbirgt oftmals im Hintergrund Gestalten und Emotionen, die der sowjetischen realistischen Kunst fremd sind: expressionistische Übertreibung, Nervosität, eine Hinwendung zur Welt der degenerierten, abstoßenden, pathologischen Erscheinungen. Darunter litten viele Seiten der VIII. und IX. Sinfonie Schostakowitschs und der Klaviersonaten Prokofjews. Eines der Mittel

77

zur Flucht aus der Wirklichkeit bildeten auch ‹neoklassizistische› Tendenzen im Werk Schostakowitschs und seiner Nachahmer – die Auferstehung von Intonationen und Kompostionsweisen Bachs, Händels, Haydns und anderer, die in einem dekadenten, verdrehten Sinne benutzt werden.»[234]

Auch bei diesem Scherbengericht brachten nur wenige Anwesende die selbstmörderische Zivilcourage zur Widerrede auf[235], darunter Schostakowitschs bewährter Freund Wissarion Schebalin[236], den dies sein Rektorat am Moskauer Konservatorium kosten sollte. Auch Schostakowitsch verlor sein im Krieg erworbenes Lehramt an diesem Konservatorium, ebenso das in Leningrad.

Obwohl in der Ablehnung der textlosen und Instrumentalmusik, wie sie der Beschluß formulierte, der Gedanke anklingt, eine byzantinisch-orthodoxe Musikkultur vor der abendländischen Sinfonik zu retten, und obwohl in dem begleitenden Schrifttum die russischen Klassiker wie Balakirew, Borodin, Mussorgsky, Rimski-Korsakow, Tschaikowsky und Tanejew gleichsam als Kronzeugen gegen die Modernisten immer wieder zitiert werden[237], war die Kampagne doch keineswegs nur als innerrussische Auseinandersetzung angelegt, sondern verstand sich als gigantischer Versuch im Weltmaßstab, das Rad der Musikgeschichte zurückzudrehen. Was in Chrennikows Rede[238] und einem nachfolgenden Grundsatzartikel, «30 Jahre Sowjetmusik und die Aufgaben sowjetischer Komponisten»[239], angegriffen und verurteilt wird, liest sich wie ein Katalog aller stilistischen und ästhetischen Neuerungen von Debussy und Richard Strauss an: mit der Nennung von Strawinsky, Messiaen, Hindemith, Křenek, Berg, Britten, Jolivet und Menotti ist kaum ein wichtiger Name der Neuen Musik jener Zeit ausgelassen. In Heft 7/48 veröffentlichte «Sowjetskaja Musyka» gar eine Zustimmung österreichischer Komponisten zum ZK-Beschluß («Wo sind all die Opern Schönbergs, Bergs, Křeneks, Hindemiths, Egks, Orffs, Milhauds und Honeggers, um nur die Begabtesten unter den zeitgenössischen Komponisten zu nennen?»), und in gleicher Stoßrichtung gab es einen «2. Internationalen Kongreß der Komponisten und Musikkritiker» in Prag, mit der Gründung einer «Internationalen Assoziation progressiver Komponisten und Musikwissenschaftler», der von deutscher Seite Hanns Eisler angehörte.[240] Die kompositorischen Sünden Schostakowitschs wurden in der «Sowjetskaja Musyka» von Marian Kowal gleich in drei Fortsetzungen angeprangert, auch die noch gar nicht veröffentlichte IV. Sinfonie.[241]

Schostakowitsch, das wird heute auch in sowjetischen Publikationen betont, «versuchte wohl wie immer aus wohlmeinender Kritik Nutzen zu ziehen, fand sich aber nun nicht mehr bereit, sich von eigenen Werken loszusagen. Diesen Standpunkt behielt er auch während der folgenden Jahre bei.»[242] Das stimmt. Was Schostakowitsch in den fünfziger Jahren veröffentlichen konnte, über *Echte und vermeintliche Programmatik*[243], über das Komponieren von Sinfonien (anläßlich des VIII. Plenums des Sowjetischen Komponistenverbandes[244]), über *einige wichtige Fragen des Musikschaffens* in der «Prawda» vom 17. Juni 1956[245], das hat selbstverständlich gegenüber Partei und Regierung jene Korrektheit und Höf-

*Der Komponist Tichon Chrennikow, Protagonist der
restaurativen Musikpolitik um 1948, seitdem I. Sekretär
des Sowjetischen Komponistenverbandes*

lichkeit der Formulierungen, wie sie ein Angehöriger der russischen
Oberschicht – zumal von Petersburger Erziehung! – seiner Obrigkeit
schon immer zu schulden glaubte, und wie sie im Westen leicht als Ergebenheitsadresse verstanden werden konnte – in musikalischen Fragen ist
Schostakowitsch hier auch nicht einen Fingerbreit von dem als richtig Er-
kannten zurückgewichen. Im Gegenteil: gerade in dem letztgenannten
Dokument bringt er – gewissermaßen die Themenstellung des ZK-De-
krets von 1948 aufgreifend, Mißstände sehr entschieden zur Sprache:

*... So kann man zum Beispiel die Augen nicht davor verschließen, daß
während der letzten Jahre neben den großen Werken der sowjetischen Musik
auch übermäßig viele Musikstücke entstanden, die nicht lebensfähig sind
... Von äußerem Pathos durchdrungene Werke wurden zu lebensbejahen-
den erklärt und spießbürgerliche Idylle mitunter als lyrisch verherrlicht.
Noch häufiger wurde das Pathos knarrender Dithyramben und hochtra-
bender Lobpreisungen gepflegt, die man dann Heldenepen nannte. Die
Anmaßung dieser Werke war direkt proportional zu ihrer inneren Kälte ...*

79

... Mir scheint, daß hier in vielem unsere ganze musikalisch-schöpferische Atmosphäre, besonders der Stab unseres gesellschaftlich-musikalischen Denkens – das Sekretariat des Komponistenverbandes der UdSSR – schuld ist. Hier wurden in der Praxis der alltäglichen Arbeit die Prinzipien und Kriterien der realistischen Kunst, des Volkstümlichen und des Programmatischen sehr vereinfacht ...

Daran hat sich noch wenig gebessert, da im Unterschied zum Russischen Komponistenverband, in dem Schostakowitsch hohe Ehren und Ämter erlangte, dem «Allunions»-Komponistenverband noch immer sein Konkurrent und Gegner Tichon Chrennikow präsidiert.

... Vieles war durch den unbefriedigenden Zustand der Musikkritik bedingt. Die Musikkritik verschwand faktisch aus den Spalten der zentralen Presse. Ich spreche schon gar nicht von den Gebietszeitungen, in denen die Veröffentlichung kleiner Beiträge über Musikthemen ein höchst seltenes Ereignis ist ... Für Kritiker wie für Komponisten war es überaus traurig, daß es unter jenen, denen die Leitung des Musikwesens anvertraut wurde, nicht wenige trockene Dogmatiker gab, die eigentlich die Musik nicht liebten ...

... Die Dogmatiker legen das Gebiet des Tragischen in der Kunst entschieden falsch aus, wenn sie primitiv die Tragödie dem Pessimismus gleichsetzen. Hierbei lassen sie außer acht, daß in der Weltkunst hoch tragische Werke stets am meisten lebensbejahend waren ...

Schostakowitsch äußert hier für sein eigenes Verhältnis zur Klassik, zur «leichten» und «tragischen» Musik wesentliche Überzeugungen.

... Die Dogmatiker stellen oft an den Komponisten naive und schematische Anforderungen der arithmetischen Ausgeglichenheit des «Negativen» und «Positiven» in jedem einzelnen Werk ... Auf eine geistige Bereicherung unseres Musikschaffens heißt auch auf ein kühnes Neuerertum Kurs nehmen. Wir haben noch viel von den Klassikern zu lernen. Ich möchte sagen, daß wir in unserer Beziehung zu den Klassikern manchmal übermäßig äußerliche Pietät an den Tag legen, sie aber zu wenig wirklich und tief begreifen. Nicht selten machen wir aus Klassikern Heiligenbilder und glätten in ihnen gerade jene Züge, die sie zu großen Menschen ihrer Zeit gemacht haben. Wir vergessen, daß die Kunst der Klassiker stets eine suchende und unruhige war ...

... Das Neuerertum findet bei uns jedoch nicht immer eine gerechtfertigte und richtige Beurteilung. Allzu eilfertig stempelt man jede Äußerung des schöpferischen Suchens als Formalismus ab. Nicht selten wird Formalismus das genannt, was irgend jemand nicht ganz verständlich oder nicht ganz nach seinem Geschmack ist ...

... Das Bestreben, koste es was es wolle, alles Zweifelhafte und auch Schärfe im künstlerischen Schaffen zu vermeiden, kann dahin führen, daß sich die Anfänger unter den Komponisten in junge Greise verwandeln. Nichts betrübt im Schaffen der jungen Komponisten so sehr wie diese unnatürliche Ausgeglichenheit, Abgeleckheit und das Fehlen eines wahrhaft schöpferischen Schwunges ...[245]

Diese Sätze wurden 1956 geschrieben und gedruckt, in der «Tauwetter-

Im Zentrum des Kulturkampfes 1948: Schostakowitsch,
der «Formalist und Volksfeind»

periode» nach Stalins Tod, die sich allerdings in der Musik sehr zögernd anbahnte. Schostakowitschs Situation in jenen Jahren war absurd genug. Sein Ruhm als das Genie der russischen Musik war unbestritten und sein internationales Ansehen im Wachsen (die Akademie der Künste der DDR und die Accademia di Santa Cecilia in Rom sollten ihn zum Ehrenmitglied ernennen)[246]. In der Heimat waren allerdings seine Werke weniger erwünscht und bestenfalls nach langen Querelen zur Aufführung zugelassen; sie waren zu Hause eingestampft, nur im Westen verkäuflich und für die sozialistischen Musikfreunde nur gegen Devisen zu haben.[247] Aber man wußte um den Wert des großen Genies und war überzeugt, er könne zaubern. Man wandte sich um Hilfe an ihn, und er wäre der Letzte gewesen, der sie verweigerte. Der Komponist Andrej Volkonsky, Sohn 1947 aus der Schweiz nach Rußland zurückgekehrter Emigranten, erinnert sich, wie Schostakowitsch, vom Komponistenverband aus, spontan zu helfen und intervenieren versuchte, als Volkonskys Mutter verhaftet worden war.[248] Schostakowitsch hatte sich schon in den dreißiger Jahren, bei der 3. Leningrader Sitzung der Kunstarbeiter, für die ordentliche Bezahlung der Musiker in den Kinos eingesetzt[249] – der Einsatz für Kollegen war ihm selbstverständlich, so auch für den jüdischen Kollegen Alexander Moissejewitsch Weprik, der im Dezember 1950 grundlos inhaftiert wurde und vier Jahre in einem Lager verbrachte.[250] Schostakowitsch schrieb an Stalin und erreichte seine Freilassung[251], die allerdings erst nach Stalins Tod erfolgte, während er im Falle des Komponisten Moissej Wainberg, der als Schwiegersohn des Direktors am Moskauer Jiddischen Theater, Michoels, verhaftet worden war, wie auch im Falle des Komponisten Johann Grigorjewitsch Admoni wirksam werden konnte.[252] Auch die postume Rehabilitierung von Nikolai Schiljajew, heißt es, sei auf Initiative von Schostakowitsch erfolgt.[253]

Wenn die Macht exzentrische Schauspiele liefert, fällt es der Gesellschaft zu, die Maßstäbe und die Gebote der Mitmenschlichkeit zu wahren, und die Geschichte der stillen Heldentaten jener Zeit, der Nächstenliebe und Solidarität ist noch nicht geschrieben. Etwas von der Situation spiegelt sich in Briefen, die Schostakowitsch in jenen Jahren an vertraute Freunde schrieb: als unzensierte und primäre Zeugnisse geben sie einigen Aufschluß über seine Lage und seine Haltung. Mit dem jungen, eben erst beginnenden Komponisten Edison Denissow stand er seit 1948 in Briefwechsel und hat ihn eigentlich als Komponisten «entdeckt». Neben Georgi Swiridow und Orest Jewlachow, Benjamin Fleischmann und Galina Ustwolskaja[254], Moissej Wainberg, Kara Karajew und Rewol Bunin, Karen Chatschaturjan, Boris Tschaikowsky[255] und Boris Tischtschenko gehört Denissow, der 1929 in Sibirien geboren ist, indirekt zu seinen Schülern und wurde unter ihnen vielleicht der prominenteste.

Schostakowitsch hat sich nie als berufenen Lehrer betrachtet[256], seinerzeit in Moskau sogar Schebalin um eine Reduzierung seiner Stundenzahl gebeten[257], hat aber die Verpflichtungen aus dieser Tätigkeit immer sehr ernst genommen. Sein Unterricht war akkurat und pedantisch. Er pflegte als erster im Unterrichtsraum zu sein (in Leningrad war es der frühere Raum Nikolai Rimski-Korsakows) und die eintretenden Studenten mit Handschlag zu begrüßen[258], ließ nie Stunden ausfallen, auch nach Premieren eigener Werke nicht, oder telegrafierte den Studenten, wenn er sie verschieben mußte.[259] Er unterrichtete ohne festes System oder Schema, suchte in seinen Schülern Übereinstimmung und vermied autoritäres Verhalten, unter dem er selbst als Student gelitten hatte[260], war jedoch bei öffentlichen Auftritten ein scharfer Kritiker.[261] Er begegnete ihnen mit Humor[262], verlangte jedoch «eiserne Disziplin, Beherrschung des

Brief von Dimitri Schostakowitsch an den Studenten Edison Denissow

Handwerks und umfassende Kenntnis der Musikliteratur. Oft verwies er auf die neuen Errungenschaften der zeitgenössischen Musik. Unter anderem fertigte er speziell einen Klavierauszug von Strawinskys ‹Psalmensinfonie› an, um seine Schüler mit diesem Werk bekannt zu machen.»[263] Daneben legte er ihnen besonders die Vokalwerke Verdis zur Analyse vor[264], sowie Werke von Beethoven, Brahms, Mahler und Tschaikowsky, Robert Schumann und von Richard Strauss den «Don Juan».[265] Für das persönliche Schicksal seiner Schüler fühlte er sich verantwortlich. Der Schüler Jewlachow brauchte ein halbes Jahr Erholung auf der Krim.

Die Komponistin Sofia Gubaidulina,
von Schostakowitsch ermuntert

Der Komponist Edison Denissow,
von Schostakowitsch entdeckt

Schostakowtisch beschaffte die Mittel und erzählte von einem Komitee, das das Geld gestiftet hätte – vermutlich hatte er es aber selbst gegeben.[266] Er brachte seine Studenten mit wichtigen Gesprächspartnern, zum Beispiel Sollertinski, zusammen und rief ein Begegnungsforum zwischen Komponistenverband und Konservatorium ins Leben.[267] Er brachte auch seine eigenen Kompositionen in den Unterricht mit oder führte sie bei sich zu Hause vor.[268] Zum Semesterschluß gab es bei Schostakowitschs berühmte «Abende». Schostakowitsch lud die Studenten zu sich, die Ehefrau Nina Wassiljewna räumte dann das Feld, und es wurde in den Zimmern getobt und – Ball gespielt.[269] Als er aber 1948 an Denissow in Sibirien schrieb, war er von Lehrämtern bereits ausgeschlossen. Nur noch seine V. und VII. Sinfonie waren auf der Liste des zur öffentlichen Aufführung zugelassenen Repertoires verblieben.

Er mußte sich nach neuen Einkünften umtun – gab als Pianist Konzerte in der Provinz, schrieb Artikel, und Nina Wassiljewna nahm in ihrem naturwissenschaftlichen Beruf wieder Arbeit an – an einem Forschungsinstitut der Leningrader Universität im armenischen Kaukasus –, der sie bis zu ihrem plötzlichen Tod am 4. Dezember 1954 in Jerewan nachging.[270]

(Solcher Ausweg in eine politisch unangefochtene Forschungstätigkeit war auch für viele Komponisten seinerzeit ein Weg zu überleben.)

... Ich freue mich sehr, daß Sie die Musik lieben und daß Sie an allen Fragen dieser Kunst Anteil nehmen, die mir so wichtig ist und ohne die ich

wahrscheinlich keinen Tag überleben könnte, antwortete er am 23. Juni 1948 dem jungen Mathematikstudenten im sibirischen Tomsk, der sich an den verehrten Meister mit dem Anliegen gewandt hatte, Komponist zu werden.[271] Am 28. Februar folgt die Aufforderung an Denissow, ihm Kopien seiner Werke zu schicken. *Ich fühle mich nicht berechtigt, über das Vorhandensein oder Nichtvorhandensein einer kompositorischen Begabung bei Ihnen zu entscheiden, und darum werde ich mich mit Leuten beraten, die in dieser Hinsicht erfahrener sind ...* Denissow schickte Noten seiner Erstlingswerke. Und Schostakowitsch befand am 22. März 1950: *Ihre Arbeiten haben mich überrascht. Wenn Sie keine primäre musikalische Ausbildung haben, dann ist es einfach erstaunlich, wie Sie es verstehen, in handwerklicher Hinsicht so verhältnismäßig sicher zu komponieren ... Ich glaube, daß Sie ein großes kompositorisches Talent besitzen. Und es wäre eine große Sünde, wenn Sie dieses Talent in der Erde vergrüben. Aber um Komponist zu sein, müssen Sie natürlich noch viel lernen. Und zwar nicht nur das Handwerk, sondern vieles andere. Komponist, das ist nicht nur jemand, der in gefälliger Weise eine Melodie mit Begleitung zustandebringt, der hübsch orchestrieren kann usw. Das kann, mit Verlaub, jeder musikalisch gebildete Mensch. Komponist ist etwas bedeutend Größeres. Was das ist, können Sie vielleicht erfahren, wenn Sie das reiche Erbe, das uns die großen Meister hinterlassen haben, sehr gut studieren ...*

Wir lernen auch hier einige von Schostakowitschs «Wertkriterien» kennen. Schematische Prinzipien waren es jedenfalls nicht, und Intuition spielt eine Rolle: *In Ihren Kompositionen gibt es etwas, woraus meine Überzeugung von Ihrem kompositorischen Talent erwächst. Analysieren kann ich es nicht. Ich verlasse mich auf mein Gefühl, oder besser: auf den Eindruck von Ihrer Musik. Gleichwohl möchte ich zu Ihren Kompositionen meine Meinung sagen.* Diese Meinungsäußerung erfolgte sehr schonungslos, wie zwischen russischen Komponisten Sitte. Er akzeptierte Denissow als Kollegen. *Ihre Begabung steht außer Zweifel. Und wenn Sie sich zu Ihrer Arbeit ehrlich verhalten, ritterlich, dann wird sich alles ergeben ...* Denissow war mit diesen Einwänden Schostakowitschs nicht überall einverstanden. Am 5. April 1950 schrieb ihm Schostakowitsch: ... *Mit Vergnügen habe ich gelesen, wie Sie sich gegen meine Bemerkungen zur Wehr setzen, wie Sie Ihre Kompositionen verteidigen. Das heißt, Sie lieben sie. Das spricht zu Ihren Gunsten, d. h. das spricht dafür, daß Sie ein Komponist werden. Ein richtiger Komponist liebt seine Arbeit. Nichtsdestoweniger bleibe ich bei meiner Meinung und sehe in Ihren Arbeiten eine Reihe ernster Mängel, die sich ohne Zweifel mit der Zeit geben werden. Sie bitten mich um Ihren Rat, was nun weiter werden soll. Ihr unzweifelhaftes Talent läßt mich darauf bestehen, daß Sie Komponist werden sollten. Aber wenn Sie nur noch ein Jahr auf der Universität bleiben müssen, dann führen Sie das Studium auf der Universität zu Ende. Der Weg des Komponisten ist voller Dornen (entschuldigen Sie diesen Gemeinplatz). Ich habe es am eigenen Leibe erlebt und erlebe es ...*

Mit sibirischer Konsequenz steuerte Denissow auf sein Ziel zu. Schostakowitsch antwortete am 22. April 1950: *Sie fragen, ob ich eine Kompo-*

sitionsklasse am Konservatorium leite. Nein! Ihre zweite Frage («Würden Sie mich in Ihre Kompositionsklasse aufnehmen?») entfällt damit. Zu wem ich Ihnen raten würde zu gehen? Am Konservatorium unterrichten derzeit die folgenden Pädagogen Komposition: Bogatyrjow, Schaporin, Golubjew, Fere. Wahrscheinlich sonst noch irgendwer. Genau weiß ich es nicht. Ich würde Ihnen raten, bei Bogatyrjow zu studieren. Semjon Semjonowitsch Bogatyrjow hat sich keinen besonderen Ruf als Komponist erworben. Aber er ist ein hervorragender Musiker, der das «musikalische Handwerk» ausgezeichnet beherrscht. Und für den Anfang würde ich Ihnen raten, bei ihm zu studieren. Es gehen Gerüchte, die jedoch noch nicht bestätigt sind: Wissarion Schebalin würde ans Konservatorium zurückkehren. Wenn er zurückkehrt, dann würde ich Ihnen nicht nur raten, sondern darauf bestehen, daß Sie bei ihm eintreten. Ich glaube, daß Wissarion Jakowlewitsch Schebalin der beste Pädagoge für Komposition in der Sowjet-Union ist. In fünf, sechs Tagen werde ich darüber genaueres wissen und Ihnen dann schreiben. Ich werde dann auch die formalen Voraussetzungen der Aufnahme ins Konservatorium erfahren. Ob es genügt, die Musikschule absolviert zu haben, oder ob noch irgend etwas anderes nötig ist. In jedem Fall weiß ich, daß es ohne Schwierigkeiten möglich ist, vom Moskauer aufs Leningrader Konservatorium überzugehen und umgekehrt. Andernfalls muß man eine Aufnahmeprüfung ablegen. Nun zu den Lebensbedingungen. In Moskau ist die Frage mit einem Wohnplatz außerordentlich schwie-

Schostakowitsch mit seinen Kompositionsschülern
Benjamin Fleischmann und Juri Lewitin

rig. Ich fürchte, daß Sie sich mit dieser Sache entsetzlich abmühen müssen, wenn Sie sich entschließen, nach Moskau zu kommen. Das Wohnheim des Konservatoriums ist überlaufen. Damit sollten Sie am besten nicht rechnen. Auf jeden Fall würde ich die Frage eines Wohnheimplatzes mich mit bemühen zu klären ...

Der mit Schostakowitsch befreundete Komponist Wissarion Schebalin war gleich ihm zu jener Zeit noch von seinen Lehrämtern ausgeschlossen. Die sowjetischen Wohnprobleme haben Schostakowitsch stark beschäftigt; sie wurden 1958 zum Thema seiner Operette *Moskau-Tscherjomuschki*, die in der DDR unter dem Titel *Alle helfen Lidotschka* in der Nachdichtung von Kurt Bartels bekannter wurde als in der Bundesrepublik.

Am 6. Mai 1950 wiederholt Schostakowitsch: *... Diese Probleme stimmen einen nicht zu lyrischen Meditationen. Diese Probleme sind real und prosaisch. Im letzten Brief vergaß ich Ihnen zu schreiben, daß Anatoli Alexandrow ebenfalls Professor am Konservatorium ist. Mir kam der folgende Gedanke in den Sinn: ich möchte Ihre Kompositionen einigen Moskauer Musikern zeigen, besonders Schebalin, Bogatyrjow, Alexandrow und anderen. Vielleicht bilden sie sich ihre Meinung und vielleicht wird dies eine Art vorweggenommener Aufnahmeprüfung für Sie. Wenn Sie einmal den Gedanken haben, ins Konservatorium einzutreten, dann sollten Sie von vornherein die Zuversicht haben, daß man Sie aufnimmt. Persönlich zweifle ich daran nicht, aber ich habe einige Fälle im Gedächtnis, wo Examinatoren sich irrten. So wurde seinerzeit ein Komponist von großem Talent, Juri Swiridow, nicht ins Moskauer Konservatorium aufgenommen. Aus dem Leningrader Konservatorium wollten sie seinerzeit die begabten Komponisten Galina Ustwolskaja und Juri Lewitin ausschließen. Im Falle dieser beiden hatte ich regelrechte Kämpfe mit meinen verehrten Kollegen auszufechten (damals lehrte ich am Leningrader Konservatorium) ...*

Dies scheint nicht der einzige Fall gewesen zu sein, daß Schostakowitsch für junge ungebärdige Talente auch gegen seine Kollegen Partei ergriff. So weiß die Moskauer Komponistin Sofia Gubaidulina (geb. 1932) zu berichten, wie sie wegen ihrer unkonventionellen Kompositionsweise auf dem Konservatorium in Grund und Boden kritisiert wurde, Schostakowitsch als Vorsitzender der Prüfungskommission ihr jedoch Mut zusprach und ihr wünschte, sie möge *auf ihrem «falschen Weg» weiterkomponieren*. Wie Denissow gehört sie heute zu den führenden Talenten der sowjetischen Neuen Musik.

Schostakowitsch zeigte mit Denissows Einwilligung dessen Werke den Komponisten Semjon Bogatyrjow und Wissarion Schebalin, die sich von ihnen aber weniger beeindruckt zeigten und sogar von einer Bewerbung am Moskauer Konservatorium abrieten; Schostakowitsch hielt aber seinen diesbezüglichen Rat aufrecht.

Er blieb wohl dabei, an den Arbeiten Denissows Unzulänglichkeiten zu kritisieren, stärkte ihm jedoch in anderer Hinsicht den Rücken:

Einige Worte noch zu Ihren Kümmernissen. Ich rate Ihnen, Mozart, Beethoven oder Tschaikowsky zu beneiden. Auf Kowal, Murawlew usw.

neidisch zu sein, lohnt sich weiß Gott nicht, wie erfolgreich dann und wann diese Pechvögel auch sein mögen ... und wiederholte am Schluß dieses Briefs nach etlichen Ratschlägen: *Der Neid auf Mozart wird Sie weiterbringen. Der Neid auf unbegabte Dummköpfe wirft Sie zurück.* Und am 2. Juli bestätigt er seine Empfehlung, wiewohl nicht ohne Bedenken: *Ich möchte Ihnen nochmals raten, einen Umzug nach Moskau und ein Studium am Konservatorium in Betracht zu ziehen. Ich habe Ihnen geschrieben, daß einer der einflußreichen Professoren ... säuerlich auf Ihre Kompositionen reagiert hat. Möglich, daß auch seine Kollegen säuerlich auf Sie reagieren. Dann müssen Sie Ihr Bündel schnüren und nach Tomsk zurückkehren. Aus der Universität wären Sie dann auch inzwischen heraus. Und von irgend etwas müßten Sie leben. Der Umzug nach Moskau erfordert schon große Opfer. Wie Sie es wünschen, würde ich all meine Erfahrungen mobilisieren und Ihnen entsprechende vernünftige Ratschläge senden. Und im übrigen möge Gott Ihnen Erfolg geben* ...

Der Briefkontakt mit Denissow, dem erst im folgenden Jahr die Aufnahmeprüfung gelang und der zunächst sein Abschlußexamen als Mathematiker an der Tomsker Universität ablegte, weitete sich zu einem freundschaftlichen Verhältnis aus, und in diesem Schriftwechsel spricht sich Schostakowitsch so freimütig über seine persönlichen Probleme aus, wie das öffentlich nicht möglich gewesen wäre. Wie erwähnt, mußte er wieder auf Konzertreisen als Pianist Geld verdienen. Am 29. April 1951 teilt er mit:

Mein Leben kommt jetzt anscheinend wieder in normale Gleise. Vor einer Woche bin ich nach Moskau zurückgekehrt und habe mich hier gleichsam für die Ewigkeit niedergelassen. Einstweilen werde ich nirgendwo hin reisen. Ich war in Minsk, Wilna und Riga. Von Riga fuhr ich nach Moskau zurück ... Meine Präludien und Fugen sind im Komponistenverband noch nicht erörtert worden. Vielleicht wird in einigen Tagen darüber beschlossen. Ich werde Ihnen schreiben, wie die Beurteilung ausfällt ...

Den äußeren Anstoß zur Komposition seiner *24 Präludien und Fugen* hatte der Bach-Wettbewerb in Leipzig 1950 gegeben, zu dem er als Juror entsandt war. Überhaupt hinderte seine angefochtene Stellung im Komponistenverband nicht, daß sein internationaler Ruhm in dieser Weise nutzbar gemacht wurde, wie beim «Kulturellen Friedenskongreß» 1949 in New York. Der Komponist Nicolas Nabokov berichtet über seinen dortigen Dialog mit Schostakowitsch[272]:

«Als Schostakowitsch als letzter der Redner gesprochen hatte, konnte ich meine Frage stellen: ‹An dem und dem Datum in der und der Nummer der ‚Prawda' erschien ein nicht gezeichneter Aufsatz, der wie ein Leitartikel aufgemacht war. Er betraf die Musik der Komponisten Paul Hindemith, Arnold Schönberg und Igor Strawinsky. In diesem Artikel wurden alle drei als Obskurantisten, dekadente bourgeoise Formalisten und Lakaien des imperialistischen Kapitalismus gebrandmarkt. Aus diesem Grund solle die Aufführung ihrer Musik in der Sowjet-Union verboten werden. Stimmt Schostakowitsch persönlich dieser offiziellen in der ‚Prawda' gedruckten Ansicht zu?›

Schostakowitsch beim Bach-Wettbewerb Leipzig 1950

In die Gesichter der Russen trat Verwirrung. Der neben Downes Sitzende murmelte hörbar: ‹Provokatsia›. Der KGB-Übersetzer flüsterte Schostakowitsch etwas ins Ohr. Dieser stand auf, man gab ihm ein Mikrofon, und zu Boden starrend sagte er auf russisch: ‹Ich stimme der in der ‚Prawda' gemachten Äußerung voll zu.›»

Auch der DDR-Komponist Ernst Hermann Meyer bestätigt, Schostakowitsch habe sich bei solchen Begegnungen im Ausland als «russischer Patriot» betragen und in Diskussionen mit DDR-Kollegen sogar die Kulturpolitik Schdanows verteidigt[273]; er pflegte seine «inneren Probleme nicht nach außen zu tragen». Ernst Hermann Meyer berichtet, wie Schostakowitsch bei diesem Bach-Fest, von den Präludien und Fugen des «Wohltemperierten Klaviers» fasziniert, seinen mitteldeutschen Kollegen die Frage stellte: *Warum habt ihr nicht diese phantastische Tradition fortgesetzt?* und sich mit historisch relativierenden Antworten nicht zufrieden gab. Er selbst setzte sie für sich fort. Und als er 1951 seine fertiggestellten *Präludien und Fugen* in Leipzig einem Auditorium aus ca. 25 Enthusiasten, darunter Paul Dessau und Max Butting, erstmals vorspielte, hat er sich bei allen Anwesenden anschließend mit Händedruck fürs Zuhören bedankt[274], in alter Petersburger Höflichkeit.

Schostakowitsch schuf mit diesen *24 Präludien und Fugen* eine eigene Spielart «meditativer Musik». Wie er drei Jahre vor Varèse im Zwischenspiel seiner *Nase* einen reinen Schlagzeugsatz komponierte und drei De-

Während der Arbeit an der X. Sinfonie in Komarowo

Datscha der Familie Schostakowitsch in Komarowo, Entstehungsort zahlreicher seiner Werke

zennien vor Ligeti und Penderecki im Eingangssatz seiner II. Sinfonie ein «Klangtextil», wurde er in diesen *24 Präludien und Fugen* zum Vorläufer einer Musikrichtung, die 25 Jahre später als «Minimal music» und «meditative Musik» neue kompositorische Aktualität erlangen sollte – einer Musik, in der sich die Intensität serieller Konzentration plötzlich im «Raum» auflöste, in musikalischer «Zurücknahme», in der Beschränkung auf wenige Töne und Motive, in der beschwörenden Kraft von Wiederholungen, die ihre Entwicklung in seismographischen Veränderungen finden. (Als stilles Vorbild der amerikanischen wie der russischen Spielart läßt sich Erik Satie vorstellen, der hier wie da – über Komponisten wie Lourié oder John Cage – auf die Neue Musik von großer Nachwirkung war.)

Die *24 Präludien und Fugen* sind eine Art intimes Tagebuch aus der schwierigsten Zeit. Denissow erinnert sich an einen Besuch bei Schostakowitsch am 12. September 1952.[255] «Auf dem Tisch lag ein Buch über Fußball und ein interessantes Buch über Dresden, das ihm jemand geschenkt hatte … Er hat sich ein Tonbandgerät angeschafft. Er ‹spulte› mir seine VIII. Sinfonie ab; ich verfolgte die Partitur (erschienen bei Peters), in seinem Sessel am Schreibtisch sitzend. Er saß am Tonbandgerät, mischte hier und da Klang zu und nahm welchen weg. Er sagte, daß Rachlin sich vorgenommen habe, sie zu dirigieren; das sei aber ein hoffnungsloses Unterfangen, da man die Sinfonie schließlich nicht erlauben werde.» Es gibt nur wenige bekannte Dokumente aus jener Zeit, in denen sich Schostakowitsch derart offen über seine Probleme und persönlichen Ansichten zu öffentlichen Tabus aussprach, in dieser Hinsicht Bertolt Brecht nicht unähnlich, mit dem er übrigens im April 1954 an dem Film «Lied der Ströme» von Joris Ivens zusammengearbeitet hatte.[276] Nicht öffentlich hätte er wohl geäußert, was er in dem fortgeführten Briefwechsel am 12. Februar 1957 an Sarkasmus abließ: *Am 14. führt N. P. Anossow meine I. Sinfonie und das «Lied von den Wäldern» auf. Ein Dichter – im Dienst der Ehre – hat den Text im Geist der Zeit verbessert. Im Unterschied zu seinem Kollegen Puschkin, der auch im Dienst der Ehre starb, ist er nicht gestorben und macht auch keine Anstalten dazu …* Dieses *Lied von den Wäldern*, eine Lobpreisung Stalinscher Aufforstungspläne, gehörte zu jenen «Kompromissen», zu denen sich Schostakowitsch nach den Beschlüssen von 1948 gedrängt sah. Von seiner Arbeit an der XI. Sinfonie schrieb er am 22. Juli 1957 an Denissow aus dem Sommeraufenthalt in Komarowo bei Leningrad, den er gewöhnlich zum Komponieren nutzte: *Jeden Tag gibt es Gewitter, manchmal sehr starke. Auf das Dach donnern dann die Regengüsse, Blitze funkeln und zerteilen den Himmel. Donner grollt, und ich sitze ganze Tage in meinem «Komponierlaboratorium» und schreibe meine Sinfonie. Bald bin ich fertig. Und dann tritt augenscheinlich das ein, wovon der Modernist und Formalist Alexander Skrjabin (laut der Zeitung «Sowjetskaja Kultura») so inspiriert gedichtet hat, im Finale seiner I. Sinfonie, in dem er (im Finale) noch auf realistischen Positionen stand:*

Und was vergiftet dir den süßen Anblick?
Daß jetzt dein Ziel erreicht; du kannst nicht mehr zurück.

Aber noch sitze ich tagelang da und komponiere ...
Diese XI. Sinfonie ist thematisch dem niedergeschlagenen Volksaufstand gegen den Zaren von 1905 gewidmet, ist aber nach dem Zeugnis von Volkov zugleich auf die Gegenwart von 1957 bezogen[277], das heißt auf die zurückliegenden Ereignisse in Ungarn. Er fährt fort: ... *Vom Gut Stepantschikowo ist jetzt Foma Fomitsch Opiskin nach Moskau gezogen; unter dem Peudonym P. Apostolow tritt er in der Presse hervor. Besonders eindrucksvoll war sein letzter Auftritt in der Zeitung «Sowjetskaja Kultura». In diesem Artikel kämpft er dafür, daß die Musik melodisch und geschmackvoll sein soll. Sonst gibt es weiter keine besonderen Neuigkeiten* ... (Foma Fomitsch Opiskin ist als Zentralfigur der Dostojewskischen Erzählung «Das Gut Stepantschikowo und seine Bewohner» ein «Negativheld», gewissermaßen der russische Tartuffe, in dessen Wesen sich Borniertheit und niederträchtiges Intrigantentum, Geltungsdrang und Eigenliebe mit Intoleranz und einem geistigen Führungsanspruch vereinigen, der ihm von der umgebenden Gesellschaft merkwürdigerweise nicht streitig gemacht wird. Der Militärkapellmeister Pawel Iwanowitsch Apostolow war dagegen als Zeitgenosse und Widersacher Schostakowitschs eine existente Person, in den dreißiger Jahren Propagandist der RAPM und seit 1949 Mitarbeiter des ZK der KPdSU in Kunstfragen, und in seinem Ableben auf makabere Weise mit Schostakowitsch verknüpft: bei der Uraufführung seiner XIV. Sinfonie zum Thema des Todes erlitt er einen Herzanfall und starb bald darauf am 19. Juli 1969.)
Schostakowitschs ironische Nadelstiche sollten nicht zu der Annahme verleiten, als habe er sich aus der sowjetischen Wirklichkeit (in der er noch immer einiges zu bewirken hoffte) in eine Art innerer Emigration zurückgezogen. «Er hat die Wahrheit sehr oft und sehr laut gesagt. Er hat vielen geholfen», erinnert sich der bulgarische Komponist Dimiter Christov.[278] Der russische Komponist Andrej Volkonsky, der in den sechziger Jahren zu den führenden Köpfen der sowjetischen Avantgarde zählte und 1973, mundtot und unter Berufsverbot selbst als Interpret alter Musik, das Land verließ, weiß diese aktive Hilfsbereitschaft am eigenen Beispiel zu bestätigen und berichtet daneben folgende, nach seiner Meinung für Schostakowitsch charakteristische Episode[279]: Als 1959 endlich die Uraufführung seiner IV. Sinfonie zustande kam, 23 Jahre nach ihrer Entstehung, wurde dies – unter Leitung von Kyrill Kondraschin – zu einem feierlichen Ereignis. Freunde hätten Schostakowitsch gern eine festliche Würdigung bereitet, doch er zog sich unmittelbar nach dem Konzert zurück. Ein befreundeter Komponist spürte ihn in seiner Wohnung auf – dort saß er in einem Buch lesend, das er beim Eintritt des Besuchers versteckte. Als er später in die Küche ging, um für den Gast einen Wodka zu holen, ließ diesen die Neugierde nach dem Buch nicht ruhen: es war Stalins kurzgefaßte Biographie. Volkonsky schreibt Schostakowitsch eine geradezu

Schostakowitsch in seiner privaten Sphäre

pathologische Haßliebe zu Stalin und seinem Regime zu – ein Kind der
Sowjet-Epoche, sei er in seinem ganzen Schaffen und seiner Person zu
ihrem Spiegel und ihrem Chronisten geworden. Die bei Volkov berichte-
ten Gespräche widersprechen diesem Eindruck nicht. Am Schicksal der

Josef Stalin

Epoche sah er sich jedenfalls nicht unbeteiligt. Kurz vor seinem Tod –
inzwischen war er «anerkannt», Vorsitzender des Russischen Komponistenverbandes, Deputierter des Obersten Sowjets und in keiner Weise
mehr umstritten – datiert die folgende, von Kzrysztof Meyer berichtete
Äußerung[280]: «Die ersten Tage des Monats Mai [1975] verbrachte er in
der Moskauer Wohnung. In dieser Zeit entwarf er das Konzept für eine
neue Oper *Der schwarze Mönch* nach Tschechow. Die Arbeit an dieser
Oper nahm er sich für den August vor, wo er in einem kleinen Dorf Ja-
drino (unweit von Tschebokssary) einen Aufenthalt plante. Seit dem letzten Jahr wurde er von dort als Deputierter für den Obersten Sowjet beru-
fen und wollte – wie er zu einem seiner Freunde äußerte – ob lebend oder
tot mit denen zusammentreffen, die ihn gewählt hatten . . .»

Innere Emigration?

Nachdem die *24 Präludien und Fugen* dem Vorwurf der «Dekadenz» und «üblen Kakophonie» nicht entgangen waren[281] und nachdem noch 1953 seine X. Sinfonie eine dreitägige Debatte im Komponistenverband ausgelöst hatte[282] und eine Artikelfolge in der Zeitschrift «Sowjetskaja Musyka», die sich bis 1957 hinzog (in der März-Nummer dieses Jahrgangs erklärte das Redaktionskollegium dieser Zeitschrift schließlich sein Nichteinverständnis mit einem kritischen Artikel Juri Kremljows[283]), zeichnete sich Ende der fünfziger Jahre, Anfang der sechziger Jahre für Schostakowitsch eine Wende zum Besseren ab. Bisher indizierte Werke wie die IV. Sinfonie oder seit ihrer Uraufführung totgeschwiegene wie das 4. und 5. Streichquartett[284] wurden wieder aufgeführt, Schostakowitsch wurde am 14. September 1960 in die Kommunistische Partei aufgenommen.[285] Als Vorsitzender des Komponistenverbandes der Russischen Föderativen Sowjetrepublik veröffentlichte er Anfang der sechziger Jahre einige «linientreue» Artikel unter gebührender Verehrung des Parteivorsitzenden Nikita Chruschtschow[286], die merkwürdigerweise in dem 1980 veröffentlichten Sammelband seiner Schriften fehlen.[287] Zwischen den Zeilen lesend, wird man allerdings auch in diesen Ergebenheitsadressen deutliche Wahrheiten gesagt und Interessen der Musik verteidigt finden. Immerhin sieht man Schostakowitsch sich dankbar erweisen für verspätete Ehren. Darüber darf man auch nicht vergessen, daß sich diese Ergebenheitsadressen an einen neuen Mann im Kreml richteten, mit dessen Namen sich die ersten Ansätze des kulturellen «Tauwetters» verknüpften und auf den die russischen Intellektuellen jener Zeit wohl große Hoffnung gesetzt hatten: Nikita Chruschtschow.[288] Inwieweit diese Hoffnungen berechtigt waren oder enttäuscht wurden, steht auf einem anderen Blatt.

Schostakowitsch selbst mußte mit seiner XIII. Sinfonie Erfahrungen machen, die wie ein Rückfall in die Zeit von 1936 und 1948 anmuteten, nur, daß diesmal nicht musikalische Gründe den Anlaß gaben. In stilistischer Hinsicht kann man die XIII. Sinfonie eher als konservativ bezeichnen, orientiert – wie viele seiner Vokalwerke – am Vorbild Mussorgskys. In puncto Avantgardismus war die zeitgenössische sowjetische Musik im Jahre 1962 – repräsentiert durch Komponisten wie André Volkonsky, Edison Denissow, Alfred Schnittke, Sofia Gubaidulina, Arvo Pärt, Sergej Slonimski oder Boris Tischtschenko[289] – paradoxerweise längst über das

Wohnung Schostakowitschs am Moskauer Kutusow-Prospekt

Blick aus Schostakowitschs Arbeitszimmer in seiner letzten Wohnung im Hause des Komponistenverbandes, Uliza Neshdanowoj

hinaus, was von Schostakowitsch in den fünfziger Jahren gewagt werden konnte. Zum Stein des Anstoßes wurden vielmehr von Schostakowitsch ausgewählte und vertonte Texte des jungen Protestlyrikers Jewgeni Jewtuschenko (geb. 1932). Im ersten dieser Gedichte, «Babij Jar» betitelt (und dies wurde ohne den Willen des Komponisten zum Untertitel der Sinfonie), geht es um Massenmorde an ukrainischen Juden zur Zeit der deutschen Besatzung, zugleich aber um eine Abrechnung mit dem russischen Antisemitismus.[290] Dieses Gedicht bildet in der XIII. Sinfonie den ersten Satz:

Chor: Es steht kein Denkmal über Babij Jar. / Die steile Schlucht gemahnt als stummes Zeichen. / Die Angst wächst in mir. Es scheint mein Leben gar / bis zur Geburt des Judenvolks zu reichen. Solo: Mir ist, als wenn ich selbst ein Jude bin, / Verlaß Ägyptens Land in Todesnöten. / Gekreuzigt spüre ich, wie sie mich töten, / Aus Nägelmalen rinnt mein Blut dahin. / Jetzt bin ich Dreyfuss, trage sein Gesicht. / Die Spießer meine Kläger, mein Gericht. / Rings seh ich Gitter, Feinde dicht bei dicht. / Muß niederknien, / hart angeschrien / und angespien. / Und feine Dämchen ganz in Brüssler Spitzenfähnchen / stechen mir mit Schirmen ins Gesicht. / Jetzt seh ich mich in Bialystok als Junge ...

Es folgen Visionen von russischen Judenpogromen, von der Gestalt Anne Franks und ein eigenes Bekenntnis gegen jeden Antisemitismus. Die mit der Publikation Solomon Volkovs wieder aufgekommene Frage, wo Schostakowitsch «denn nun wirklich politisch gestanden» habe, läßt sich vielleicht nicht besser als mit den Texten dieser XIII. Sinfonie beantworten, hinter denen Schostakowitsch durch seine Vertonung mit voller Überzeugung gestanden hat.

Das Engagement Schostakowitschs für die jüdische Minderheit datierte nicht erst aus dieser Zeit. Im Krieg war sein jüdischer Schüler Benjamin Fleischmann gefallen, eine unvollendete Oper «Rothschilds Geige» nach Tschechow im Klavierauszug hinterlassend. Schostakowitsch orchestrierte sie zu Ende und setzte sich für ihre Aufführung ein, die 1968 in Leningrad unter der Leitung seines Sohnes Maxim als Studioaufführung zustande kam, ihm Anfeindungen eintrug und seitdem nicht wiederholt wurde.[291] Wenig Glück hatte er auch mit seinem 1948 komponierten Liederzyklus *Aus jüdischer Volkspoesie*[292], dessen Schicksal in der damaligen antizionistischen Kampagne besiegelt war und der erst 1955 uraufgeführt werden konnte.[293] Schostakowitsch hatte in einer Sammlung jiddischer, ins Russische übersetzter Volkslieder nur Texte, keine Melodien gefunden, diese Texte jedoch im Geiste der jiddischen Volksmusik komponiert, deren in Heiterkeit sublimierter Schmerz ihn immer fasziniert hatte und deren Themen und alterierte Skalen namentlich in seinen späteren Werken eine immer stärkere Rolle spielen sollten. Es waren nicht nur offizielle Anfeindungen, die ihm diese Lieder eintrugen. Am 3. März 1954 notierte Edison Denissow:

«... war ich bei Dimitri Dimitrijewitsch. Er war sehr traurig, da er von der Kampagne gegen seine ‹Jüdischen Lieder› erfahren hatte. Es gab zwei anonyme Briefe – sehr grobe und vulgäre ‹Sie haben sich an die Juden verkauft!›. Er sagte zwar, daß er anonyme Briefe niemals läse, aber er hatte sie doch gelesen, denn sie waren kurz und mit der Maschine geschrieben. Er sagte: *Immerzu versuche ich, mir eine philosophische Einstellung gegenüber solchen Ausfällen anzugewöhnen, und ich hätte nicht gedacht, daß ich mich darüber so ärgern könnte.* Er sagte, daß er immer den Antisemitismus gehaßt habe. Er erinnert sich an einen entsprechenden Erlaß Lenins (der inzwischen vergessen sei).»[294]

Es war jedoch nicht nur das Thema des Antisemitismus, das Schostakowitsch in der XIII. Sinfonie bekenntnishaft zur Sprache brachte. Der zweite Satz handelt (wie alle fünf Sätze nach Dichtungen Jewgeni Jewtuschenkos) vom unsterblichen politischen Witz, dem Kerker und Schafott nichts anhaben können; der dritte ist eine Lobpreisung der russischen Frau:

Solo: Tief vermummt, wie Kampfbrigaden, / stets zur Heldentat bereit, / so betreten sie den Laden: / Frauen, schweigend, Seit an Seit. Chor: Oh, sie klappern mit den Kübeln, / mit den leeren Kannen laut, / und es riecht nach Gurken, Zwiebeln, / Räucherfisch und Bohnenkraut. / Solo: Frierend stehe ich schon lange, / bis zur Kasse hat man's schwer. / Von der dichten Menschenschlange / wird es wärmer um mich her. /

Solo: Frauen warten ohne Ende, / freundlich ist ihr Haus bestellt, / und es halten ihre Hände / stumm das schwerverdiente Geld ...

Im vierten Satz ist von *Ängsten* die Rede, und zwar wörtlich so:

... jene Angst vor dem Denunzianten / oder Angst, wenn es klopft an der Tür. / Auch die Ängste, mit Fremden zu sprechen, / oder gar mit der eigenen Frau. / Ängste, die das Vertrauen zerbrechen / nach dem Wandern zu zweit durch das Grau. / Mutig sah man im Schneesturm uns bauen. / Trotz Beschuß ging es furchtlos zur Schlacht. / Doch wir fürchteten sehr zu vertrauen, / kein Gespräch ohne Angst und Verdacht ...

Der fünfte Satz, *Karriere*, beschäftigt sich mit Galileo Galilei – sicher nicht ohne Seitenblick auf die Galilei-Figur Bertolt Brechts – und der Zweischneidigkeit jener «Vernunft», die unter einem totalitären Regime die Anpassung ratsam erscheinen läßt:

Ein Wissenschaftler jener Zeit, / er war wie Galilei gescheit, / fand auch, daß sich die Erde dreht. / Er hat Familie, ihr versteht. / Sich selbst zum Ruhm, der Frau zur Ehre, / begeht er Hochverrat wie nie / und denkt: so mache ich Karriere, / doch in der Tat zerstört er sie.

Die Moskauer Uraufführung der XIII. Sinfonie am 18. Dezember 1962 unter Kyrill Kondraschin wurde zu einem triumphalen Publikumserfolg, ebenso eine Anschlußaufführung Anfang 1963 in Minsk. In der Presse gab es jedoch nur ablehnende Kritik, wie in «Sowjetskaja Kultura», kurze Notizen (in der «Prawda», «Iswestija» u. a.) oder ein völliges Totschweigen.[295] Dichter und Komponisten wurden Textänderungen nahegelegt und von ihnen widerwillig akzeptiert.[296] Die Sinfonie, die Schostakowitsch als ein zentrales Ereignis seines Lebens ansah – alljährlich feierte er den 12. Mai als Uraufführungstag seiner I. Sinfonie und fortan den 20. Juli als den Tag, an dem er die XIII. Sinfonie vollendet hatte[297] – konnte jahrelang nicht aufgeführt werden: erst 1966 wurden Aufführungen in Nowosibirsk und Leningrad möglich, und die erste Schallplatten-

*Nach der Uraufführung der XIII. Sinfonie
mit dem Textdichter Jewgeni Jewtuschenko*

einspielung erschien Ende der sechziger Jahre in Amerika.[298] Die sowjetische Gesellschaft unter Chruschtschow, in der immerhin Alexander Solschenizyn seinen «Tag im Leben des Iwan Denissowitsch» hatte veröffentlichen können[299], erwies sich gegenüber diesem Appell für ein besseres Rußland als ratlos. Erst 1971 konnte in der Sowjet-Union eine Partitur erscheinen, noch später eine Schallplatte.[300]

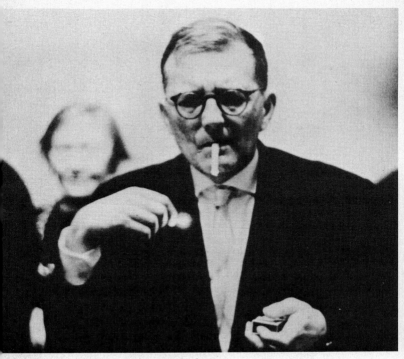

Nach der Uraufführung der XIII. Sinfonie

Zwar: dem Komponisten geschah nichts. Er wurde sogar im gleichen Jahr, 1962, in den Obersten Sowjet gewählt.[301] Andererseits schien auch er entschlossen, für den Rest seines Lebens keine Kompromisse mehr einzugehen und nur noch die Musik zu schreiben, die ihm notwendig erschien. Die Tragik seines Schicksals war es, daß er von dem Moment an, als er endlich in Ruhe leben durfte, vom Tode gezeichnet war.

Bereits 1958 hatten sich erste Lähmungserscheinungen in den Fingern gezeigt, die ihn fast zum völligen Verzicht auf pianistische Aktivitäten zwang: ein geplanter Auftritt mit eigenen Werken beim 3. «Warschauer Herbst» 1959 kam deshalb nicht zustande.[302] Erst später erkannt, war schon damals eine chronische Entzündung des Rückenmarkes und eine beginnende Lähmung der rechten Hand die Ursache.[303] Hinzu kam – durch einen Unfall bei der Hochzeitsfeier seines Sohnes Maxim – ein komplizierter Beinbruch, der nie wieder richtig heilte, ständige Nachbehandlungen erforderte und eine Gehbehinderung zurückließ.[304] 1966 erlitt er einen Herzinfarkt; Ende 1967 brach er sich erneut ein Bein. Der viermonatige Krankenhausaufenthalt stellte die Gehfähigkeit nicht wieder voll her, um so weniger, als die fortschreitende Lähmung nun auch auf die Beine übergriff.[305] Schostakowitsch unterzog sich Behandlungen und Kuraufenthalten; zwei Tage vor seinem 65. Geburtstag erlitt er einen zweiten Herzinfarkt.

In den neun Jahren seit dem ersten Herzinfarkt bis zu seinem Tode, während er unter ständiger ärztlicher Aufsicht stand und bisweilen nicht mehr in der Lage war, ohne fremde Hilfe den Mantel anzuziehen oder aufzuknöpfen, komponierte er zwei Sinfonien, vier Streichquartette, ein Violinkonzert, zwei Sonaten, vier Liederzyklen, Film- und Ballettmusiken.[306] Schostakowitsch hat oft seine Werke seinen Freunden gewidmet – sein letztes, 15. Streichquartett, sein längstes, in dem er auf Themen seiner jugendlichen *Aphorismen* zurückgriff, hat er niemandem mehr widmen wollen. *Ich möchte keine Widmungen mehr ... Als ich das 13. Quartett Borissowski zugedacht hatte, starb mein Freund kurz darauf. Um mich kreist der Tod, einen nach dem anderen nimmt er mir, nahestehende und teure Menschen, Kollegen aus der Jugendzeit ...*[307] Dazu gehörten neben Wadim Borissowski zwei weitere Musiker des Beethoven-Quartetts: Wassili und Sergej Schirinski, seine ältere Schwester Maria, der Musikschriftsteller Michail Bogdanow-Beresowski, der Filmproduzent Grigori Kosinzew, dem Schostakowitsch fast zu allen seinen Filmen die Musik

Bei der (verbandsinternen) Uraufführung des XI. Quartetts, mit der Pianistin Tatjana Nikolajewa und dem Komponisten Sergej Balassanjan

Mit Bertolt Brecht beim Weltfriedenskongreß in Ost-Berlin 1954

geschrieben hatte, gehörten Lew Oborin und David Oistrach.[308] Er widmete das Quartett jedoch ausschließlich dem Andenken Sergej Schirinskis. *Um mich kreist der Tod* – wenn Schostakowitsch seine großteils im Krankenhaus komponierte, im März 1969 beendete XIV. Sinfonie wiederum als Vokalzyklus anlegte, kreisend um das Thema des «Todes» in Dichtungen von Federico García Lorca, Guillaume Apollinaire, Wilhelm Küchelbecker und Rainer Maria Rilke, so entsprach dieses Thema schwerlich dem erwünschten Optimismus des sozialistisch-realistischen Musikschaffens, aber ein «autobiographisches» Thema war es gewiß. (Eher könnte man seine 1971 vollendete XV. Sinfonie, die in nostalgischen Zitatmontagen Rossinis «Wilhelm Tell» und Richard Wagners «Walküre» mit klassischen russischen Motiven verknüpft, und dies in der klassizistischen Leichtigkeit seiner I. Sinfonie, als einen «versöhnlichen» Ausklang seines sinfonischen Schaffens sehen.)

Am Spätwerk Schostakowitschs tritt das Monumentale und das Unterhaltsame zurück – seine Sprache neigt immer mehr zur Reduktion und Konzentration, wie sie sich in den *24 Präludien und Fugen* angebahnt hatte; sie wird intimer, beschränkt sich auf Wesentliches, verliert in einem Gestus der streitbaren und pflichtbewußten Vernunft alle Elemente des Verspielten und Satirischen, deren Meister er doch gewesen war, und auch des Experimentellen. Schostakowitsch entfernte sich von den aktuellen Wegen der Neuen Musik immer weiter in eine selbstgeschaffene Zeitlosigkeit. Serielle Ordnungssysteme, gegen die er sich kritisch geäußert hat, unter anderem in einem Interview beim Warschauer Herbst 1959[309], aleatorische und stochastische Techniken der Materialorganisation, «sonoristische» Experimente der Aufspaltung der Naturklänge und ihrer womöglich elektronischen Verfremdung haben ihn nicht mehr interessiert.

Unter seinen westlichen komponierenden Zeitgenossen war es allein Benjamin Britten, mit dem er in näherem Gedankenaustausch stand, dem er die XIV. Sinfonie widmete und den er bei seinem England-Aufenthalt 1972 besuchte.[310] Für bestimmte Ansätze der jüngeren Komponisten brachte er kein Verständnis mehr auf, sehr zur Enttäuschung seines Freundes und Verehrers Krzysztof Meyer.[311]

Das heißt nicht, daß sich nicht auch und gerade in seinem Spätwerk – deutlich ausgeprägt in seinem XII. Streichquartett oder seinem letzten Werk, der Bratschensonate op. 147 – mitunter «reine Zwölftonreihen» fänden.[312] Sofia Chentowa deutet eine solche in seinen *Liedern nach Marina Zwetajewa*, op. 143, aus dem Jahre 1973 als «Symbol der Ewigkeit».[313] Dabei bleibt aber festzuhalten, daß das Denken in strengen Reihen seine Musik nie bestimmt hat – eher fungieren sie als Zitat –, während andererseits seine Melodik grundsätzlich von der Vorstellung des vollen Zwölftonspektrums ausgeht, das für ihn weniger den Zwang einer Reihe als die Offenheit eines Schachbretts verkörperte, auf dem unendliche Kombinationen möglich sind; die planmäßige «Auffüllung» des Zwölftonraums geschah bei ihm mehr intuitiv als rituell.

Für sein Spätwerk charakteristisch erscheint die Tatsache, daß das Streichquartett darin zur dominierenden Gattung wird. Schostakowitsch, der als Sinfoniker begonnen hatte und Sinfonie für Sinfonie seine Hörer mit neuen Konzeptionen überraschte, fand im Streichquartett, dem er sich erst 1938 zugewandt hatte, schließlich die Form, die ihm den vollkommenen Ausdruck seines privaten und künstlerischen Ich gestattete, das ihm zum Ausdrucksmittel wurde für Mitgefühl und Trauer, Zorn und Verzweiflung, aber auch zum kompositorischen Beispiel für Ökonomie, für die äußerste Beschränkung der Mittel und damit zur höchsten Steigerung von Dramatik.

So entstand sein VIII. Streichquartett im Jahre 1960 innerhalb von drei Tagen in Gohrisch bei Dresden, wohin er zur Fertigstellung der Filmmusik zu «Fünf Tage – fünf Nächte» gereist war, unter dem Eindruck von Berichten über die grauenvolle Zerstörung von Dresden in der Bombennacht vom 13. zum 14. Februar 1945.[314] Schostakowitsch verwahrte sich als russischer Patriot sonst gegen jede vermeintliche Wehleidigkeit seiner DDR-Kollegen im Zusammenhang mit den Leiden des Krieges, deren sein Volk und er selbst genug durchgemacht hatten. Ernst Hermann Meyer erinnert sich, wie er an dessen «Mansfelder Oratorium» nach einem Text von Stephan Hermlin bei den Worten: «Was wir gewesen, lag vor uns in Stücken» Anstoß nahm als an einem «Stück, worin geklagt wird».[315] Schostakowitsch verwendete nun im VIII. Quartett Themen und Motive aus früheren Werken bis zur XI. Sinfonie, darunter auch ein dominierendes Thema im «jüdischen» Melos mit charakteristischen Rhythmen und Intervallen, das außerdem dem Hauptthema seiner VII., «Leningrader», Sinfonie spiegelverwandt ist . . . Man könnte sich vorstellen, daß dieses VIII. Quartett, das *den Opfern des Krieges und des Faschismus* gewidmet ist, als ein Schlußstrich unter diesen Krieg gemeint sei. In seinem Familienkreis ist überliefert, wie er dieses Quartett mit den vielen Selbstzitaten aus frühen Werken für seinen eigenen Tod bestimmte.

In seinen letzten elf Lebensjahren, von 1964 bis 1975, komponierte Schostakowitsch sieben seiner fünfzehn Streichquartette, die sich innerhalb der sozialistisch-realistischen Normen byzantinischer Monumentalität, aber auch innerhalb der handwerklichen Beflissenheit und Esoterik der westlichen «Neuen Musik» wie Meteorsteine aus Beethovens Werkstatt ausnehmen, als Sprache eines Individuums allen Masken und Dressuren entzogen.

Sarkastische und elegische Züge begegnen sich in einer Technik der äußersten Reduktion der motivischen Arbeit auf motivische Keimzellen und einer spannungsreichen Dramaturgie großer Zeiträume – Kategorien, die dem zeitgenössischen musikalischen Denken fremd geworden waren, die aber als etwas Gemeinsames in den Arbeiten der Schüler Schostakowitschs bemerkbar ist: von Georgi Swiridow, Nikolaj Pejko, Boris Tischtschenko oder der kompromißlosen Galina Ustwolsjaka[316] – das Gefühl für weite Räume und spannungsreiche Linien, der Verzicht auf äußere Monumentalität, die Neigung zu «minimalistischen» Strukturen, den «langen Atem». Schostakowitsch, der aus der Epoche des «Formalismus» erwachsen war – einer Richtung, die sich in der Literaturtheorie durch ein neuerwachtes Interesse an den «Bauformen des Erzählens» auszeichnete –, wandte den Fragen der musikalischen Tektonik immer eine wache und produktive Aufmerksamkeit zu. Die Analyse seiner Werke könnte in dieser Hinsicht für vieles den Blick öffnen, der für manches in der zeitgenössischen Musik abhanden gekommen ist. Krzysztof Meyer, der die unvollendete Schostakowitsch-Oper *Die Spieler* nach Gogol zu Ende komponierte, bekennt sich hierbei ausdrücklich zu anderen Schwerpunkten seines musikalischen Denkens als den gemeinhin üblichen: «Für mich ist Harmonik ein Element der Form, der Entwicklung. Ich fasse die ‹Form› wie eine musikalische Geschichte auf, die Entwicklung hat, einen Höhepunkt, ihre Konsequenz, und die als Geschichte auf die Hörer wirkt. Das ist für mich womöglich wichtiger als das Material.»[317]

Wie kein anderer Zeitgenosse hat es Schostakowitsch durch radikale Erneuerung des Materials verstanden, eine totgesagte Kategorie wie die Melodik neu zu beleben und musikalische Gattungen wie Oper, Sinfonie und Streichquartett, die manchenorts als bürgerlich und überlebt galten, in ihrer unverminderten Lebenskraft zu bestätigen.

Der Komponist, der dieses bewirkte, hatte in seiner Lebens- und Arbeitsweise selbst etwas «Bürgerliches»; er verkörperte nicht so sehr den genial-revolutionären Künstlertyp der futuristischen Umbruchszeit als den des aufgeklärten russischen Intellektuellen, des Wissenschaftlers mit einem Übermaß an Rationalität und Kontrolle, an Erziehung und Selbstkritik. Er entstammte einer Familie von Wissenschaftlern, seine erste Frau ebenfalls, und von seinen Kindern wählte nur sein Sohn Maxim die Laufbahn des Pianisten und Dirigenten – die Tochter Galja wandte sich wieder den Naturwissenschaften zu.

«Die Höflichkeit Schostakowitschs war mitunter entwaffnend», berichtet Krzysztof Meyer.[318] «Als er, bereits schwerkrank, nach dem zweiten Herzinfarkt im Krankenhaus lag und die Ärzte ihm strengstens jede Bewegung untersagt hatten, begrüßte er jeden, der bei ihm eintrat, mit großer Anstrengung, indem er sich aus den Kissen hochmühte und aufsetzte. Gegen Lebensende, als ihm das Gehen größte Schwierigkeiten bereitete, begleitete er alle Gäste, selbst Jugendliche, nicht nur bis zur Tür seiner Wohnung, sondern bis zum Fahrstuhl im Treppenhaus. Jeden, der ihm begegnete, begrüßte er mit dem gleichen Satz: ‹Was macht Ihre Gesundheit?› Mit Ausnahme von Kollegen aus der Jugendzeit sprach er alle, selbst nahe Freunde, mit ‹Sie› und niemals mit ‹Du› an; darin war er bis zum Ende seines Lebens konsequent.» (Diese Art der Distanzfindung kann sich in der sozialistischen Gesellschaft auch als Reaktion auf die Lästigkeit eines allgemeinen Duzcomments ergeben und somit als eine Auszeichnung des Gesprächspartners gemeint sein.)

Man erzählt sich, wie Schostakowitsch um die Hand seiner zweiten Frau, Margarita Andrejewna Kajnowa, anhielt.[319]

Er hatte sie auf einer Dienstreise als Angestellte eines Instituts kennengelernt und sie eingeladen, wenn sie nach Moskau käme, sein Gast zu sein. Dies geschah irgendwann. Am Morgen überraschte Schostakowitsch dann die verdutzte Besucherin mit der Frage, ob sie seine Frau werden wolle. Mag die Geschichte stimmen oder nicht; sehr lapidar und beiläufig teilte er die Neuigkeit seinem jungen Freund Denissow in einem Brief vom 1. August 1956 mit, in dem er diesem zum Eintritt in die Aspirantur gratulierte und von einem Krankenhausaufenthalt berichtete. *Dann gab es noch ein sehr wichtiges Ereignis. Ich habe geheiratet. Meine Frau heißt Margarita Andrejewna Kajnowa. Das war's nun. Seien Sie gesund und erfolgreich . . .*[320]

An seiner ersten Frau hatte er sehr gehangen. *Alle denken hier an Nina Wassiljewna zurück*, hatte er am 31. Juli 1955 aus dem Sommerhaus in Kamarowo an Denissow geschrieben. *Sie hat diesen Ort sehr geliebt und viel Energie hineingelegt, um ihn für uns wohnlich zu machen. Im übrigen*

Mit der dritten Ehefrau, Irina Antonowna geb. Supinskaja

vergeht dieser Sommer fruchtlos und traurig . . . Vom 3. März 1955 notierte Denissow Schostakowitschs Klage: *Schade, daß ich keine Sekretärin habe. Früher ging immer Nina Wassiljewna ans Telefon und sagte, daß ich für zwei Monate verreist sei. Jetzt muß ich selber darangehen und mit allen Leuten reden.* Auf dem Tisch stand eine große Fotografie von Nina Wassiljewna, und auf dem Notenschrank ihre Gipsbüste . . .[321]

Die Ehe mit Margarita Kajnowa wurde jedoch bald wieder geschieden. 1962 heiratete er zum drittenmal: die 29 Jahre jüngere Irina Antonowna Supinskaja, die er im Verlag kennengelernt hatte[322] und die die textliche Neufassung der *Lady Macbeth* betreute. Irina Antonowna wurde zur fürsorglichen Betreuerin seines letzten und schwierigsten Lebensjahrzehnts (und später zur beharrlichen und zielstrebigen Verwalterin seines Nachlasses).

Seine Arbeitsweise schildert sie als unablässig – schöpferische Pausen habe er kaum gekannt, und auf Reiseaufenthalten fragte er nach einigen Stunden, woher er Notenpapier bekommen könne.[323] Fragen nach seiner Arbeitsweise beantwortete er manchmal differenzierter. In den vierziger Jahren empfand er selbst mitunter eine *beängstigende Leichtigkeit*[324] seines Komponierens; in den Briefen an Denissow aus den fünfziger Jahren klagt er mehrfach über Perioden, in denen er nichts zustande brachte.[325] Zu Gerd Ruge äußerte er Anfang der sechziger Jahre: *Ich arbeite im allgemeinen nicht regelmäßig, aber wenn ich anfange, dann arbeite ich sehr viel. Manchmal fragt man mich, ob ich morgens oder abends arbeite – ich ar-*

beite den ganzen Tag, und am besten im Landhaus. *Ich komponiere sehr leicht, aber bevor ich anfange, überlege ich sehr lange. Gegen Schluß der Arbeit macht es mir am meisten Freude, aber die verliert sich wieder, wenn das Werk fertig ist. Dann ist es schon irgendwie langweilig.*[326]

«Wenn Sie ein Stück ... komponieren – tun Sie das am Klavier oder streng auf dem Notenpapier?» fragte ihn bei seinem Amerika-Aufenthalt am 13. Juni 1973 Royal S. Brown. *Ich kann ohne Klavier komponieren, und wenn ich mir's überlege, ziehe ich diese Methode sogar vor. Ich versuche Musik mit meinem Kopf zu schreiben, sozusagen, und nicht mit meinen Händen.*[327]

Der Leningrader Komponist Mark Aranowski veröffentlichte in der dem 75. Geburtstag Schostakowitschs gewidmeten Nr. 9/1981 der «Sowjetskaja Musyka» Gespräche zum Schaffensprozeß von Schostakowitsch.[328]

«Rimski-Korsakow schrieb einmal, daß ein Thema immer mit einemmal entstehe, als etwas Ganzes. Kann man davon ausgehen, daß er damit wirklich eine Gesetzmäßigkeit des musikalischen Denkens formulierte, oder gibt es andere Wege, zum Beispiel die Suche nach einem melodischen Ganzen, die von irgendeiner einzelnen, anfänglichen Intonation ausgeht?»

Schostakowitsch: *Ein Thema entsteht, indem es von einer anfänglichen Intonation ausgeht.*

Mit der Ehefrau Irina im Frühjahr 1973

Frage: «Die ersten Sekunden der Entstehung eines musikalischen Projekts: wie stellt sich Ihnen das dar? Ist Ihnen in diesem Augenblick schon die ganze Gestalt des künftigen Werkes gegenwärtig?»

Schostakowitsch: *Ja, sie ist mir gegenwärtig.*

Frage: «Pflegt es so zu sein, daß ein Kompositionsprozeß mit irgendeinem Detail beginnt, das möglicherweise zufällig entsteht, oder dominiert immer ‹die Vision des Ganzen›?»

Schostakowitsch: *Es dominiert immer «die Vision des Ganzen».*

Auf die Frage nach dem Charakter seiner Skizzen antwortete er, sie seien schon ziemlich vollständig.

«Können Sie eines Ihrer großen Werke nennen, an dem die Arbeit in sehr kurzer Zeit vonstatten ging?»

Schostakowitsch: *Die VIII. Sinfonie – ich brauchte zwei Monate und ein paar Tage.*

Auf der Schiffsreise von Le Havre nach Amerika im Sommer 1973 kam der Moskauer Korrespondent der «Frankfurter Allgemeinen Zeitung», Hermann Pörzgen, mit Schostakowitsch in ein Gespräch, in dem diese Geschwindigkeit seines Komponierens unterstrichen wurde und das dazu Aufschlüsse über dessen Antriebe gab. Nicht immer waren dies «offizielle» Kompositionsaufträge. *Buchstäblich einige Tage vor der Abreise von Moskau nach Kopenhagen schrieb ich ein Streichquartett. Ich ließ es zu Hause liegen, und es fehlt mir sehr. Ich liebe Kammermusik, sie ist eng verbunden mit dem «Beethoven-Quartett», einem Ensemble, das Sie natürlich kennen. Der zweite Geiger, Schirinski, starb, und ich widmete ihm ein Werk. Aber dann dachte ich: diese Leute haben so viel für mich getan, und beschloß, jedem ein Werk zu widmen.* Er zählt sie einzeln auf. *Gott gebe ihm Gesundheit*, flicht er gelegentlich ein …[329]

Sein spontanes und souveränes Denken in großen Zusammenhängen, das Überschauen von Systemen wurde auch in anderen als musikalischen Bereichen bezeugt. Noch im hohen Alter konnte er sich lückenlos erinnern, welche Straßenbahnen mit welchen Wagennummern im Vorkriegs-Leningrad welche Linien befuhren.[330]

Schostakowitsch ist von der «Neuen Musik», wie sie sich nach dem Krieg in Westeuropa entwickelte, kaum noch als zugehörig erkannt und anerkannt worden. Eine westliche Schostakowitsch-Forschung gibt es – hauptsächlich in Amerika – allenfalls in Ansätzen.[331] Schostakowitsch selbst hat sich in diesen Zusammenhängen weder sehen können noch wollen. Diese Umstände wie auch die totale Verkennung seiner diesbezüglichen Bedeutung im größten Teil der sowjetischen Musikliteratur[332] sollten nicht über die uneingeschränkte Relevanz seines Schaffens in dieser Hinsicht hinwegtäuschen.

Zwar kann man ihn mit der russischen Moderne nach 1910 und den frühen zwanziger Jahren, mit den Zwölftönern und Vierteltönern der Skrjabin-Generation wie Roslavetz, Lourié, Obuchow, Golyscheff oder Wyschnegradsky, nicht mehr identifizieren. Er gehörte zur nächsten Generation, die die Ideen des Futurismus in die Praxis einer «Neuen Sachlichkeit» umsetzten, musikalisch zu denken als eine neue Linearität, neue

Objektivität, als neue Volkstümlichkeit durchaus auch in Verbindung mit den politischen Utopien der frühen Revolutionszeit. In diesen Stimmungen der späten zwanziger, frühen dreißiger Jahre, in der Zusammenarbeit mit Meyerhold, mit dem Theater der Arbeiterjugend oder den Entwicklern des Tonfilms fand er seinen Platz und gewann seine Kompositionsweise ihre Strukturen. Der futuristische Erlösungsgedanke einer Vereinigung von Kunst und Leben kann als Schlüssel für seine aus ganz unterschiedlichen Motiven kritisierten Neigungen zum Trivialen, Banalen und Vulgären gelten; eine Vereinigung der Künste im Zeichen dieser Idee ergab sich von selbst. Bei Schostakowitsch mündete sie in eine Theatralik der Strukturen – alle Züge von ironischer Brechung, von einer Ästhetik des «Als Ob» bis hin zu den *24 Präludien und Fugen* oder der XV. Sinfonie gehen von diesem Ausgangspunkt aus. Den Höhepunkt dieser seiner kreativsten Schaffensepoche bildete, nach der *Lady Macbeth* und vor der dann einsetzenden Hexenjagd, die IV. Sinfonie, deren rechte Würdigung in der Geschichtsschreibung der Neuen Musik noch aussteht. Alle Erfahrungen des «Theateroktober» Meyerholdscher und anderer Prägung scheinen in sie eingegangen. Ihre Form entwickelt sich dramaturgisch aus Gesten und Grotesken, aus der Spannung zwischen unerbittlichem Rhythmus und kaleidoskopartiger Miniatur. Die Themen stehen gleichsam auf der Bühne einer modernen Inszenierung, werden vorgeführt in Brechtscher Verfremdung. Es geschehen Entwicklungen und Katastrophen inmitten rein maschineller Perioden; Episoden von höchster Sensibilität stoßen auf Voraussetzungen von technischer Brutalität – gegenüber dem «Pathos des Objektiven», wie es in den Maschinenmusiken der zwanziger Jahre begegnet, kommen hier Kategorien des Emotionalen wieder ins Spiel: auf dem Umweg über die ironische Brechung, über die (inszenierte) große sentimentale Geste. Als Werkzeug der Verfremdung ist eine in ihrer «Schräglage», in ihren Querständen fast unmögliche Harmonik zu erkennen, deren Reiz eben aus ihrer Konsequenz im scheinbar Unmöglichen herrührt.

War der Komponist, der solches versuchte, ein «Westler» innerhalb der russischen Musik? Es lohnt sich zu erinnern, daß sich die russische Kultur nicht in «slawischer Seele» erschöpft, daß es seit Peter dem Großen, seit Puschkin und Gogol, Gribojedow und Tschechow eine ausgeprägte Tradition des russischen Rationalismus gibt. Gerade zu Tschechow hatte Schostakowitsch eine besondere Beziehung[333]: *Ich liebe Tschechow sehr, er ist einer meiner liebsten Schriftsteller . . . Wenn ich eine Dissertation über einen Schriftsteller meiner Wahl schreiben sollte, dann würde diese Wahl auf Tschechow fallen, so nahe, wie er mir innerlich steht. Wenn ich Tschechow lese, erkenne ich manchmal mich selbst . . . Das ganze Leben Tschechows ist ein Vorbild an Sauberkeit, an Bescheidenheit – nicht äußerlicher, sondern innerlicher . . . Die Lebensgeschichte Tschechows ist eine der saubersten und anständigsten Biografien. Mich beeindruckt ihr Impuls im Alltäglichen . . . das Bestreben, alles mit eigenen Augen zu sehen, alles selbst zu erfassen und zu erfühlen . . . Man müßte die Arbeiten Tschechows auch aus der Perspektive des Musikers erfassen. Bis jetzt fanden sie keinen*

Widerhall in der Musik, obwohl viele Sachen Tschechows rein musikalisch in ihrer Anlage sind. So ist zum Beispiel die Erzählung «Der schwarze Mönch» für meine Begriffe in Sonatenform gebaut.

Unterscheidet man unter russischen Komponisten Mystiker wie Mussorgsky, Skrjabin, Obuchow oder Wyschnegradsky von Skeptikern wie Tschaikowsky oder Strawinsky, dann wäre Schostakowitsch (bei aller Problematik dieser Unterscheidung) sicher nicht den Mystikern zuzuordnen. Begeisterung kann sich in Musik ausdrücken, und das ist das Gewöhnliche, aber musikalisch denkbar ist auch das Gegenteil: die tondichterische Verkörperung eines nüchternen «kategorischen Imperativs», eines ethischen Prinzips der Vernunft[334], das leicht einen Unterton der Resignation gewinnt. In diesem Sinne ist Schostakowitsch durchaus ein Nachfahr von Tschaikowsky, der in seiner Umwelt als «Westler» galt.

Daß er sich anderer byzantinischer Quellen der russischen und seiner eigenen Musik nicht gänzlich unbewußt war, verrät – überraschend, wenn auch nicht gänzlich unerwartet – ein Gespräch, das L. Borissow (Leonid Borisowitsch Perewersjew) in einer Emigrantenzeitschrift veröffentlichte[335] und in dem es unter anderem um den russischen Komponisten Dimitri Bortnjanski (1751–1825) geht, der wegen seiner romantisierenden Bearbeitungen russischer Kirchengesänge nicht unumstritten blieb: «... Dann hatte ich das Glück eines längeren Spazierganges mit ihm. Ich nahm mir die Kühnheit, ihn nach der Ähnlichkeit der erste Takte seines Liedes: *Die Heimat lauscht, die Heimat weiß*... mit dem bekannten ‹Lied des venezianischen Kaufmanns› aus der Oper ‹Sadko› von Nikolai Rimski-Korsakow zu fragen. Schostakowitsch lächelte und entgegnete: *Danach wurde ich schon mehrmals gefragt, aber ich wundere mich, sozusagen, daß man eine andere Quelle der Anfangstakte dieses Liedes noch nicht entdeckt hat. Kennen Sie den alten russischen Hymnus ‹Wie herrlich ist unser Herr›* [Kak slaven naš gospod]*? Diese Musik komponierte Dimitri Bortnjanski. Mit entsprechender Ausdauer kann man die Noten erhalten und einen Vergleich anstellen. Ich empfehle Ihnen, sich öfter mit der russischen Kirchenmusik zu befassen. In ihr werden Sie einen Schatz von Weisheit finden. Von mir selbst kann ich sagen, daß ich die russische Kirchenmusik sehr liebe. In meiner Jugend habe ich mit großer Begeisterung die Vorlesungen des Professors Antonin Viktorowitsch Preobraschenski gehört, der einer der maßgeblichen Experten der russischen Kirchenmusik war. Mit großer Dankbarkeit erinnere ich auch seines unermüdlichen Nachfolgers auf diesem Lehrstuhl, des Professors Maxim Viktorowitsch Braschnikow. Braschnikow hat, wenn man so sagen darf, eine wirkliche Heldentat vollbracht. Unter unseren Bedingungen verstand er es, Aufmerksamkeit und Interesse für die russische Kirchenmusik zu wecken.*

Sein Verhältnis zum Christentum, zur orthodoxen Religion wird nicht wesentlich anders gewesen sein als das der russischen Gesellschaft schlechthin, gerade der Intelligenz, und das man beschreiben könnte als: «zum Erstaunen des Westens auf eine selbstverständliche Weise vorhanden». Es ist daran zu erinnern, daß es zumal Traditionen und Haltungen christlicher Mitmenschlichkeit sind, die unter den Bedingungen des «rea-

Schostakowitsch in seinen letzten Lebensjahren

len Sozialismus» oftmals das Überleben ermöglichen und das Funktionieren der Lebensvorgänge trotz Hierarchie und Korruption. Die Frage, ob Schostakowitsch im Denken und Handeln «Funktionär» oder «Dissident» war, dürfte eine Antwort im Sinne dieses Sachverhalts finden: er unternahm den Versuch zur Verantwortung. Schostakowitsch machte sich, wie Volkov überliefert, über die exaltierte Frömmigkeit der Pianistin Maria Judina ein bißchen lustig[336]; aus dem orthodoxen Ritus aber liebte er selbst – die Kerzen, die dort zu allen feierlichen Gelegenheiten angezündet werden, ließ sich von seinen Freunden immer wieder Kerzenständer schenken und legte unbedingten Wert darauf, daß an seinen Geburtstagen die Zahl der Kerzen der seiner Lebensjahre entsprach.[337]

In östlichen wie westlichen Darstellungen unbezweifelt ist sein «russischer Patriotismus», aus dem sich Akte der «Anpassung» (innersowjetische Querelen nicht nach draußen zu tragen) wie auch des «Widerstands» (Beurteilung der sowjetischen Gegenwart unter dem Anspruch der russischen Geistesgeschichte) gleichermaßen erklären. Er dachte und handelte als Erbe Mussorgskis, Tschaikowskys, Puschkins, Dostojewskis und Tschechows; so jedenfalls sah er sich selbst und stellte er sich selbst dar. Die Frage, ob die «Anpassung» nach den Ereignissen von 1939 und

111

Autograph des letzten Werkes von Schostakowitsch: der Bratschensonate op. 147

1948 auf Kosten seiner künstlerischen Substanz gegangen sei – diese Frage wird in Bezug auf ihn wie auch auf seinen Generationsgenossen Prokofjew häufig gestellt –, läßt sich an Hand der Volkovschen Aufzeichnungen dahingehend beantworten, daß ihm zumindest innerlich das Rückgrat nicht gebrochen war, daß er auf seinem Weg nicht umkehrte, sondern ihn mit List fortsetzte, wo und wie immer das möglich war. Seine einträglichen und gewissenhaften Arbeiten auf dem Gebiet der unterhaltenden und dienenden Musik als «Umkehr» zu betrachten, wäre falsch, denn dieser Strang seines Schaffens hat sein ganzes Leben begleitet. Seit seiner Studentenzeit als Stummfilmbegleiter am Klavier hat die Filmmusikproduktion rund ein Drittel seines Komponierens ausgemacht – sie war im Grunde derjenige Teil seiner Arbeit, der ihn über allen kulturpolitischen Querelen im Zweifelsfall über Wasser hielt. Die Filmarbeit blieb seine Zuflucht: daß er sie nicht nur als niederen Broterwerb sah, belegt sein aktives Interesse an der Entwicklung von Zeichentrickfilmen in den dreißiger Jahren oder der Umstand, daß er diese Tätigkeit bis in seine letzten schweren Jahre fortsetzte, in denen sich sein Leben im Grunde zwischen langverdienten Reisen und Krankenhausaufenthalten abspielte. Da gab es noch den Plan, seine Oper *Die Nase* zu verfilmen, der vielleicht verwirklicht worden wäre, wenn sein langjähriger Partner Grigori Kosinzew nicht 1973 gestorben wäre.[338] Schostakowitsch hätte auch – das verrät seine Orchestrierung des Foxtrotts «Tea for Two» aus Vincent Youmans Musical «No-no Nanette», der führende Jazzmusiker seines Landes sein können, wenn diese Kunst nicht nach kurzlebiger Förderung bald wieder in totale Ungnade gefallen wäre. Unter den letzten Plänen, die ihn bewegten, findet man neben einem immer stärkeren Interesse an Dostojewski, das die *Lieder des Kapitän Lebjadkin* entstehen ließ, die Idee, die «Fledermaus» von Johann Strauß neu zu orchestrieren und als Filmoperette zu bearbeiten.[339] Das war 1973, zwei Jahre vor seinem Tode, immerhin vier Jahre nach der Komposition seiner XIV. Sinfonie zum Thema des Todes. Daneben bewegten ihn die Pläne zu seiner Tschechow-Oper «Der schwarze Mönch», die nie realisiert wurde, deren musikalische Ideen aber in enger Verbindung standen mit denen der XV. Sinfonie.[340]

Als er sich am 1. August 1975 aus dem Krankenhaus in Kunzowo beurlauben ließ, wollte er arbeiten – diesmal an der Musik zu einer Komödie des jiddischen Dichters Scholem-Alejchem: «Wir gratulieren». Er wollte sie fertig haben, wenn er aus dem Krankenhaus käme. Es ging nicht gut. Am 4. August mußte er wieder eingeliefert werden. Freute sich noch, das fertiggestellte Reinschriftexemplar seiner Bratschensonate zu sehen. Sah sich ein Fußballspiel im Fernsehen an. Wollte aus Tschechow vorgelesen haben – Irina Antonowna trug ihm aus der Erzählung «Die Gänse» vor. Am 9. August schickte er sie fort in die Stadt. Um 18 Uhr 30 schloß er für immer die Augen.[341]

Unter den Nachrufen, die aus aller Welt eingingen, zitiert seine sowjetische Biographin Sofia Chentowa aus der Bundesrepublik Deutschland den Nekrolog Hans Otto Spingels in der «Welt» vom 11. August 1975[342]: «Er hat ein entscheidendes Wort zur Musikgeschichte dieses Jahrhunderts mitgesprochen.»

Anmerkungen

Russische Namen und Titel werden hier nicht nach Duden, sondern in wissenschaftlicher Transliteration wiedergegeben, die die eindeutige Retranskription gewährleistet.

1 Avtobiografija. Erstveröffentlicht in: Sovetskaja Muzyka 9/1966, zit. nach: D. Šostakovič o vremeni i o sebe. 1926–1975. Hg.: M. Jakovley, G. Pribeginaja. Moskau: Sovetskij Kompozitor 1980, S. 13–15

2 Darius Milhaud: Noten ohne Musik. Eine Autobiographie. München: Prestel 1962, S. 144

3 Vom Verf.: Neue sowjetische Musik der 20-er Jahre. Laaber: Laaber Verlag 1980, S. 420–441

4 Krzysztof Meyer: Dmitri Schostakowitsch. Leipzig: Reclam 1980, S. 54

5 Sofija Chentova: Molodye gody Šostakoviča (Jugendjahre Schostakowitschs), Bd. I, Leningrad/Moskau: Sovetskij Kompozitor 1975, S. 175 f

6 Bei Chentova, wie Anm. 5, zitiert S. 175 nach Schostakowitsch: «Dumy o proidennom puti» (Gedanken über den zurückgelegten Weg), in: Sovetskaja Muzyka 9/1956, S. 2 f

7 Bei Chentova, wie Anm. 5, zit. S. 175 nach E. Laganskij: «Dmitrij Šostakovič», in: Literaturnyj Leningrad, 26. April 1935

8 Vgl. z. B. Lev Danilevič: «D. D. Šostakovič». Moskau: Sovetskij Kompozitor 1958; ders. «Naš sovremennik» (Unser Zeitgenosse), Moskau: Muzyka 1965. – G. Orlov: «Dmitrij Dmitrievič Šostakovič», Moskau/Leningrad: Muzyka 1966; ders.: «Simfonii Šostakoviča» (Die Sinfonien Sch's.) Leningrad: Staatsmusikverlag 1961, u. a.

9 Bei K. Meyer, s. Anm. 4, zitiert nach Štejnberg, Beitrag zur schöpferischen Diskussion im Leningrader Verband sowjetischer Komponisten, in: Sovetskaja Muzyka 5/1936, S. 38

10 Vgl. Meyer, wie Anm. 4, S. 57–59

11 Ebenda, S. 59, zitiert nach J. Iwaszkiewicz: «Rozmowy o książkach. Szostakowicz», in: «Życie Warszawy», 5.–6. August 1973

12 Meyer, wie Anm. 4, S. 36. Entsprechende Anmerkungen seines Lehrers Glasunow zitiert auch Chentova, wie Anm. 5, S. 104, nach Konstantin A. Fedin: «Gor'kij sredi nas» (Gorki unter uns), Moskau: Goslitizdat 1944, S. 40

13 Chentova, wie Anm. 5, S. 105

14 «Nik. A. Roslavec o sebe i o svoem tvorčestve» (Nikolaj Roslavetz über sich und sein Schaffen), in: «Sovremennaja Muzyka» (Zeitgenössische Musik), Moskau, Nr. V/1924, S. 132–138, dort S. 133. – Deutsch in «Neue sowjetische Musik der 20-er Jahre», wie Anm. 3, S. 396.

15 Ebenda S. 85 zur Komposition «V kumirnju zolotogo sna» (In den Tempel des goldenen Traumes)

16 «Četyre gazetnye ob'javlenija» (Vier Zeitungsannoncen), op. 21. Leningrad: Triton o. J. (um 1926)

17 Moskau/Wien: Staatsverlag/Universal Edition 1929

18 Im Original: Leču nad ozerom / Letajnost' soveršaju / Letivyj duch / Letit so mnoj / Letivistost' v mysljach / Letimost' otražaju / Letkij vzor glubok / Letveren i ustojčiv / Letokean širok / Letistinnaja radost' / Letisto uletaet / Letinnoju vesnoj. / In: E. M.: «Poslednee slovo» otživajuščej kul'tury» (Das letzte Wort einer ablebenden Kultur), Muzyka i Revoljucija, Moskau IX/1927, S. 5. Deutsch vgl. Anm. 3, S. 319 f

19 Kyrill N. Afanasjew: «Sowjetische Architektur 1917/32», Dresden: VEB Verlag der Kunst 1973 (Fundus-Bücher Nr. 30), S. 11

20 Bertolt Brecht: Gesammelte Werke. Frankfurt: Suhrkamp, Bd. 15: Schriften zum Theater, S. 105 f: Der Materialwert

21 Meyer, s. Anm. 4, S. 87, zit. nach Sovetskaja Muzyka 5/1935, S. 31–33

22 s. Anm. 4, S. 217

23 Sofija Chentova: Molodye gody Šostakoviča (Jugendjahre Schostakowitschs), Bd. II, Leningrad: Sovetskij Kompozitor 1980, S. 221

24 Ebenda S. 226

25 El Lissitzky: Proun und Wolkenbügel. Dresden: VEB Verlag der Kunst 1977 (Fundus-Bücher Nr. 46), S. 13

26 Wörtlich: «Budetljanskie silači». Textdruck: «Poběda nad Solncem». Opera A. Kručenych muzyka M. Matjušina. «Der Sieg über die Sonne. Oper von A. Kručenych, Musik von M. Matjušin). (St. Petersburg): Typographie «Svět'», o. J. (Exemplar im Besitz der British Library)

27 «Novoe o Majakovskom» «Neues über Majakowski). In: Literaturnaja Gazeta, Moskau, 9. Oktober 1956. Vgl. Meyer, s. Anm. 4, S. 215

28 Chentova, s. Anm. 5, S. 15–70

29 Chentova II., s. Anm. 23, S. 24

30 Chentova, s. Anm. 5, S. 71, nach Marietta Šaginjan: «Dmitrij Šostakovič». «Izvestija» 16. Sept. 1966

31 Chentova, s. Anm. 5, S. 69

32 Meyer, s. Anm. 4, nach S. Chentova: «Šostakovič-pianist», Leningrad: Muzyka 1964, S. 9

33 Meyer, s. Anm. 4, S. 29

34 Chentova, s. Anm. 5, S. 74

35 Ebenda S. 69

36 Ebenda S. 82–87

37 Ebenda S. 80; Sofia Chentova: «Šostakovič v Petrograde – Leningrade» (Sch. in Petrograd-Leningrad), Leningrad: Lenizdat 1979, S. 15 f

38 Chentova: Šostakovič v Petrograde ..., wie Anm. 37, S. 15

39 Ebenda S. 14

40 Vgl. Harry Wilde: «Trotzki». «rowohlts monographien» 157, Hamburg 1969, S. 108–127; Boris Schwarz: «Music and Musical Life in Soviet Russia 1917–1970». London: Barrie & Jenkins 1972, S. 3–37

41 Chentova, wie Anm. 5, S. 91

42 Meyer, s. Anm. 4, S. 32 f

43 Zitiert bei Meyer, ebenda S. 40 f, und bei Chentova, wie Anm. 5, S. 109, nach Viktor Šklovskij: «Žili-byli» (Es war einmal), Moskau: Sovetskij Pisatel' 1966, S. 164

44 Chentova, s. Anm. 5, S. 99, nach N. S. Zelov: «Narkomprosovskij Stipendiat»

(Stipendiat des Volkskommissariats für Aufklärung), in: «Junost'» Nr. 10/ 1967, S. 101–102

45 Viktor Šklovskij: «Petersburg während der Blockade». In: «Die Serapions-brüder von Petrograd», Hg.: Gisela Drohla. Frankfurt: Insel-Verlag 1963, S. 19–21

46 Meyer, s. Anm. 4, S. 41; Chentova, s. Anm. 5, S. 99

47 Chentova, s. Anm. 5, S. 94, nach Ju. N. Tjulin: «Junye gody Šostakoviča» (Jugendjahre Sch's.), im Slbd.: «Dmitrij Šostakovič», Moskau: Sovetskij Kompozitor 1967, S. 78

48 Meyer, s. Anm. 4, S. 34, nach Šostakovič: «Dumy o proidennom puti», in: Sovetskaja Muzyke 9/1956, S. 9f

49 Meyer, s. Anm. 4, S. 47f, nach Šostakovič: «Moja Alma Mater», in: Sovet-skaja Muzyka 9/1962, S. 101–104

50 Meyer, s. Anm. 4, S. 50–52

51 Chentova, «Š. v. Petrograde ...», s. Anm. 37, S. 41

52 Ebenda S. 39

53 Gojowy: «Neue sowj. Musik der 20-er Jahre», wie Anm. 3, S. 25f

54 Neudruck Wiesbaden: Edition Breitkopf Nr. 8119, 1981

55 Wie Anm. 3, vgl. auch vom Verf.: «Marginalien zur Neuen sowjetischen Musik», in: «Neue Zeitschrift für Musik», Mainz: Schott Nr. 2/1981, S. 139–145

56 «L'ultrachromatisme et les espaces non octaviants». «La Revue Musicale» Nr. 290–291, Paris 1972–73, S. 75–130

57 Arsenij Avraamov: «Klin – klinom» (Ein Keil treibt den anderen), in: «Muzy-kal'naja Kul'tura», Moskau, I/1924, S. 42–44

58 Konzertnotiz in «Muzyka i Revoljucija», Moskau, V–VI/1927, S. 39

59 Vgl. S. Protopopov: «Elementy stroenija muzykal'noj reči» (Bauelemente des musikalischen Satzes), Bd. II, Moskau: Staatl. Musikverlag 1931

60 «Symmetrische Leitern in der Russischen Musik». «Die Musikforschung», Kassel u. a.: Bärenreiter, 28. Jg. 1975, H. 4, S. 379–407

61 Vgl. Paul Stefan: «Donaueschingen – Venedig». «Musikblätter des Anbruch» Wien: Universal Edition, Nr. VII/1925, S. 442f – Frdl. Mitteilungen von Frau Gloria Coates, München

62 B. Javorskij: «Stat'i, vospominanija, perepiska» (Aufsätze, Erinnerungen, Briefwechsel), Moskau: Sovetskij Kompozitor 1972

63 Ebenda S. 12, 156, 319, 321, 345, 348, 364, 595, 607

64 Vgl. Vorwort zu Anm. 62

65 Chentova Bd. II (wie Anm. 23), S. 212

66 Wie 62, S. 609–610

67 Besonders die II. Klaviersonate, 1924; Wien: Universal Edition 1927

68 Wie 62, S. 366 (1926), S. 610 (1942)

69 Chentova, wie Anm. 5, S. 109

70 Ebenda, S. 108–109, 107

71 S. Anm. 58

72 Chentova, wie Anm. 5, S. 107

73 Ebd.

74 Ebenda S. 110

75 Marian Koval': «Propaganda Džaz-banda» (Propaganda für die Jazzband), in «Muzyka i Revoljucija» Moskau, Nr. V–VI/1927, S. 49; deutsch s. Gojowy, wie Anm. 3, S. 449f. – Von Schillinger damals im Sowj. Staatsverlag erschienen

die Klavierstücke «Cinq Morceaux» op. 12, 1927, und «L'excentriade», op. 14, 1928

76 Alexander Truslit: «Kommt das Zeitalter der synthetischen Musik?», in: Musica, Kassel u. a., IV/1950, S. 176–188; Zbigniew Piotrowski: «Joseph Schillinger i jego ‹System kompozycji muzycznej›» (J. Sch. und sein «System der musikalischen Komposition»), in: Ruch Muzyczny, Warschau, 8/1973, S. 15 f

77 Chentova, wie Anm. 5, S. 114

78 Chentova, wie Anm. 44

79 Kompositionsskizzen im Lourié-Nachlaß, Sammlung Jean Laloy, Paris: «Nos. Opera v' šesti kartinach po Gogolju» (Die Nase, Oper in sechs Bildern nach Gogol); Skizzenbuch und zugehöriger Notenbogen, datiert Pariž 1923

80 Chentova, wie Anm. 5, S. 202

81 S. Korev: «Sovetskaja Simfoničeskaja Muzyka – Jubilejnye Oktjabrskie Koncerty» (Sowjetische Sinfonik – Konzerte zum Oktoberjubiläum), in: «Sovetskoe Iskusstvo», Moskau/Leningrad 7/1927, S. 49–52; vgl. Chentova, wie Anm. 5, S. 206

82 Wie Anm. 4, S. 53

83 Meyer, ebenda, S. 53, nach «Dumy o proidennom puti», s. Anm. 6

84 z. B. M. Etinger: «Garmonija i polifonija» (Harmonie und Polyphonie), Sovetskaja Muzyka 12/1962, S. 29–34; E. P. Fedosova: «O diatoničeskich ladach u D. Šostakoviča» (Über diatonische Tonarten bei Sch.), in: «Voprosy teorii Muzyki» (Fragen der Musiktheorie), Moskau: Muzyka 1970, S. 363–381; A. Dolžanskij: «Aleksandrijskij pentachord v muzyke Šostakoviča» in: «Problemy Lada» (Tonartenprobleme), Moskau: Muzyka 1972, S. 9, S. 31 ff; V. Bobrovskij: «O nekotorych storonach ladotonal'noj peremennosti v muzyke D. D. Šostakoviča» (Über einige Seiten des Tonartenwechsels in der Musik von D. D. Sch.); ebenda, S. 329–251; verschiedene Abhandlungen bei A. Dolžanskij: «Izbrannye stati» (ausgewählte Aufsätze), Leningrad: Muzyka 1973; Jurij Cholopov: «Očerki sovremennoj garmonii» (Skizzen zur zeitgenössischen Harmonik), Moskau: Muzyka 1974, S. 224 f

85 Näher hierüber beim Verf., s. Anm. 3, S. 258 f

86 Zitiert bei Meyer, s. Anm. 4, S. 238, nach Junost', Moskau, 1975

87 Meyer, s. Anm. 4, S. 217 f, nach M. Dolgopolov: «Početnyj poigryš», in: Sputnik, Moskau, Nr. 6/1975

88 Gerd Ruge: «Gespräche in Moskau». Köln: Kiepenheuer 1961, S. 105

89 Vgl. Boris Eichenbaum: «Aufsätze zur Theorie und Geschichte der Literatur». Frankfurt: Suhrkamp 1965. – Michail Bachtin: «Literatur und Karneval. Zur Romantheorie und Lachkultur». München: Hanser 1969. – Jurij Tynjanow: «Die literarischen Kunstmittel und die Evolution in der Literatur». Frankfurt: Suhrkamp 1967

90 Hierzu vom Verf.: «Formentwicklungen bei sowjetischen Neoklassizisten», in: «Bericht über den internationalen Musikwissenschaftlichen Kongreß Bonn 1970», Kassel u. a.: Bärenreiter 1971, S. 257–261

91 Chentova: «Šostakovič v Petrograde …», s. Anm. 37, S. 34 f

92 D. Šostakovič: «Nakanune prem'ery ‹Nosa› – Počemu ‹Nos›?» (Am Vorabend der Uraufführung der «Nase» – Warum «Die Nase»?). «Rabočij i teatr», 3/1930

93 Einzelanalysen wie Anm. 3, S. 273

94 Ebenda S. 290
95 Ebenda S. 307
96 Vgl. Meyer, s. Anm. 4, S. 64f
97 Chentova, s. Anm. 5, S. 214f
98 Wsewolod E. Meyerhold: Schriften. 2 Bde, Hg.: A. Fewralski. Berlin: Henschel 1979
99 Chentova, s. Anm. 5, S. 216
100 Chentova, nach Fewralski, ebenda S. 217
101 Ebenda S. 213
102 Chentova: «Š. v Petrograde . . .», s. Anm. 37, S. 54
103 Chentova, wie Anm. 5, S. 217f, vgl. Meyer, s. Anm. 4, S. 68
104 Muzyka i Revoljucija, Moskau, 7–8/1928, S. 54
105 Vgl. I. Martynov: «D. D. Šostakovič», Moskau: Staatsverlag 1946, deutsch Berlin: Henschel 1947, S. 33f, 63f; Heinz Alfred Brockhaus: «Dmitri Schostakowitsch». Leipzig: VEB Breitkopf & Härtel 1962, S. 41 u. a.
106 Meyer, wie Anm. 4, S. 74
107 Ebenda S. 69
108 Ebenda S. 71
109 Vgl. «Dialecticus»: «Über das Reaktionäre und Progressive in der Musik». In: «Muzykal'naja Kul'tura», Moskau, I/1924, S. 45–51, dtsch. beim Verf., wie Anm. 3, S. 400–407
110 Meyer, wie Anm. 4, S. 17f
111 Ebenda
112 Viktor Belyj: «Principial'nye voprosy razvitija nacional'nych muzykal'nych kul'tur» (Prinzipielle Fragen der Entwicklung nationaler Musikkulturen), in: «Proletarskij Muzykant», Moskau, Nr. 6/1931, S. 1–12
113 Frdl. Mitteilung Prof. Michael Goldstein, Hamburg, 1974
114 Boris Schwarz, s. Anm. 40, S. 111f
115 Tichon Chrennikov: «Tridcat' let sovetskoj muzyki i zadači sovetskich kompozitorov» (30 Jahre sowjetische Musik und die Aufgaben sowjetischer Komponisten). «Sovetskaja Muzyka» 2/1948, S. 23–46, dort S. 30
116 s. Anm. 75
117 Marian Koval': «Tvorčeskij put' D. Šostakoviča» (Der kompositorische Weg D. Schostakowitschs). «Sovetskaja Muzyka» 2/1948, S. 47–61, 3/1948, S. 31–43 und 4/1948, S. 8–19
118 Brief an Schostakowitsch vom 13. Oktober 1942, wie Anm. 62, S. 607
119 z. B. P. Rybakova: «Muzyka Šostakoviča k zvukovym fil'mam» (Schostakowitschs Musik zu Tonfilmen), «Proletarskij Muzykant», Moskau, Nr. 10/1931, S. 39–41; «Kievskaja gazeta o balete Šostakoviča» (Die Kiewer Zeitung zum Ballett Sch's), «Proletarskij Muzykant» 1/1931, S. 46
120 Chentova II, s. Anm. 23, S. 40
121 «Deklaracija objazannosti kompozitora» (Deklaration der Pflichten eines Komponisten), in: «Rabočij i teatr» 31/1931, nach Chentova, wie Anm. 5, S. 301f
122 Chentova, wie Anm. 5, S. 293
123 D. Schostakowitsch: Filmmusiken. Ariola 28665 XHK
124 Meyer, wie Anm. 4, S. 76, nach G. Orlov: «Simfonii Šostakoviča», Moskau 1961, S. 53
125 s. Anm. 121, Chentova S. 302f
126 «Roman eines Romans/Moskauer Tagebuch». Köln: Wissenschaft und Politik

1969, S. 83

127 «Ėnciklopedičeskij Muzykal'nyj Slovar'» (Enzyklopädisches Musikalisches Wörterbuch), Hg.: B. S. Štejnpress und I. M. Jampol'skij. Moskau: Muzyka 1966, S. 177

128 Chentova, wie Anm. 5, S. 166, 167, 191

129 Ebenda S. 241

130 Chentova II, s. Anm. 23, S. 31, 157

131 Ebenda, wie auch Chentova, s. Anm. 5, S. 329

132 «Ljudi, gody, žizn», deutsch von Alexander Kaempfe. München: Kindler 1962, S. 442

133 Chentova II, s. Anm. 23, S. 58

134 Ebenda S. 176

135 Meyer, wie Anm. 4, S. 190

136 «Sovetskoe Iskusstvo» 16. Oktober 1932

137 «Der verfolgte Tenor». München: Piper o. J. S. 187

138 s. Anm. 126, S. 90

139 Ebenda S. 207, 301

140 Ebenda S. 169, 101

141 Ebenda S. 99

142 Ebenda S. 101

143 s. Anm. 40, S. 120 f

144 Nach Sinkó, wie Anm. 126, S. 298–300

145 Meyer, wie Anm. 4, S. 93

146 Ebenda, nach Chentova in «Ruch Muzyczny» 18/1966

147 Meyer, wie Anm. 4, S. 92; Schwarz, wie Anm. 40, S. 124–136; Radamsky, wie Anm. 137, S. 215–217; Chentova II, s. Anm. 23, S. 152–157

148 Schwarz, ebenda S. 136 f

149 Stephan Stompor, Einführung zu: «Dmitri Schostakowitsch: Katerina Ismailowa». Leipzig: Reclam (1965), S. 38

150 Bei Sinkó, wie Anm. 126, S. 298 f als Übersetzeranmerkung nach A. Shdanow: «Über Kunst und Wissenschaft». Berlin: Dietz Verlag 1951, S. 52 f

151 Sinkó, s. Anm. 126, S. 315

152 Ebenda S. 326

153 Michail Gol'dštejn: «Viktor Gorodinskij i ego muzykal'nye zlodejania» (Viktor Gorodinski und seine musikalischen Intrigen). «Russkaja Mysl'», Paris, Nr. 3291, 19. Jan. 1980

154 Wie Anm. 149, S. 38

155 Fred K. Prieberg: «Musik in der Sowjetunion». Köln: Wissenschaft und Politik 1965, S. 110

156 Meyerhold: «Schriften», wie Anm. 98, Bd. I, S. 55

157 «Shostakovich» (Oxford Studies of Composers [8]), London: Oxford University Press 1971, S. 26 f

158 Sinkó, s. Anm. 126, S. 90, 147 f

159 Ebenda S. 316 f

160 Wie Anm. 149

161 Ebenda S. 40

162 Wie Anm. 149, S. 40; vgl. A. Bogdanova: «Katerina Izmajlova D. D. Šostakoviča». Moskau: Muzyka 1968

163 Radamsky, wie Anm. 137, S. 213–217, dort Verweis auf eigene Veröffentlichung in der Londoner «Times» vom 18. 11. 1963

164 Vgl. Programmheft der Wuppertaler Bühnen «Lady Macbeth von Mzensk», Spielzeit 1979/80
165 Wie Anm. 149, S. 41
166 Chentova II, s. Anm. 23, S. 157. Dem Eindruck Radamskys, s. Anm. 137, S. 215, daß Schostakowitsch aus eigenen Stücken ferngeblieben sei, widerspricht diese Feststellung.
167 Radamsky, s. Anm. 137, S. 215 f. Als Radamsky sich mit einem Zwischenruf zugunsten Schostakowitschs in die Debatte einschaltete, wurde sein Beitrag abgesetzt und ihm das Visum für die UdSSR entzogen (s. S. 217 f).
168 Frdl. Mitteilung Denissows im Januar 1980
169 In: Iwan Sollertinski: «Von Mozart bis Schostakowitsch», Leipzig: Reclam 1979, S. 166–187, nach: I. Sollertinskij: «Gustav Mahler», Leningrad: Muzgiz 1932
170 Vgl. ebenda: «Jacques Offenbach», S. 139–165, nach Veröffentlichungen des Staatl. Akademischen Kleinen Theaters Leningrad 1933
171 Vgl. ebenda, Nekrolog Schostakowitschs auf Sollertinski, S. 9–13
172 Tichon Chrennikov: «Tridcat' let sovetskoj muzyki i zadači sovetskich kompozitorov» (30 Jahre sowjetische Musik und die Aufgaben sowjetischer Komponisten). In: Sovetskaja Muzyka 2/1948, S. 23–46, dort S. 30 f
173 Wie Anm. 169, S. 9 (Kurt Sanderling: «Erinnerungen»)
174 Chentova II, wie Anm. 23, S. 179 – Verweis auf L. A. Mazel': «Zametki o muzykal'nom jazyke Šostakoviča» (Bemerkungen zur musikalischen Sprache Schostakowitschs), in: «Dmitrij Šostakovič», Moskau 1960, S. 321
175 Meyer, s. Anm. 4, S. 100
176 «Moij tvorčeskij otvet» (Meine kompositorische Antwort), in: «Večernjaja Moskva», 25. Januar 1938. Hier heißt es u. a.: «Wenn es mir wirklich gelang, in meine Musik all das hineinzulegen, was ich nach den kritischen Artikeln in der ‹Pravda› durchdacht und empfunden habe, kann ich zufrieden sein ...» (nach Meyer, s. Anm. 4, S. 100)
177 Meyer, wie Anm. 4, S. 93 f – Marian Koval' äußerte allerdings in seiner Verurteilung dieser Sinfonie 1948, «ihre Aufführung wäre allerdings auch eine Herausforderung der öffentlichen Meinung gewesen» (nach der «Prawda»-Kritik). – «Tvorčeskij put'» D. Šostakoviča» (Der kompositorische Weg D. Schostakowitschs), in: Sovetskaja Muzyka 3/1948, S. 31–43, dort S. 41
178 Hierauf ein Hinweis bei Chentova II, wie Anm. 23, S. 111 f
179 Ebenda S. 195
180 Ebenda S. 179, S. 191
181 Ebenda S. 190, nach A. A. Fadeev: «Sub'ektivnye zametki: Za tridcat' let» (Subjektive Bemerkungen: «Dreißig Jahre lang»), Moskau: Sovetskij Pisatel' 1957, S. 891
182 Vgl. Vorwort zu der von seiner Frau Irina mitherausgegebenen Gesamtausgabe – D. Šostakovič: Sobranie Sočinenij, Bd. 3, Moskau: Muzyka 1980
183 «Der verlorene Sohn». In: Stern, Hamburg, 14. Mai 1981, S. 276
184 Vgl. I. Sollertinski: «Das ethische Prinzip in der russischen Musik», wie Anm. 169, S. 281–283, nach «Pamjati I. I. Sollertinskogo», Leningrad–Moskau 1974
185 Johann von Gardner: «System und Wesen des russischen Kirchengesanges». Wiesbaden: Harrassowitz 1976
186 Frdl. Mitteilung von Herrn Dimitri Terzakis, Köln/Athen
187 Chentova II, s. Anm. 23, S. 232

188 Marian Koval', wie Anm. 117, Sovetskaja Muzyka 4/1948, S. 8 f
189 Chentova II, s. Anm. 23, S. 232 f
190 Ebenda S. 234
191 Sofia Chentova: «Šostakovič v gody Velikoj Otečestvennoj vojny» (Sch. in den Jahren des Großen Vaterländischen Krieges). Leningrad: Muzyka 1979, S. 195 (III)
192 Ebenda S. 192
193 Chentova II, wie Anm. 23, S. 246 f
194 Ebenda S. 248
195 Vgl. u. a. Alexander Werth: «Rußland im Krieg». München/Zürich: Droemer 1965
196 Chentova: «Š. v Petrograde ...», s. Anm. 37, S. 148–201; Anm. 191
197 Chentova III, s. Anm. 191, S. 89 f; vgl. Solomon Volkov: «Zeugenaussage». Hamburg: Knaus 1979, S. 9
198 Chentova II, s. Anm. 23, S. 263 f
199 Chentova: «Š. v Petrograde», wie Anm. 37, S. 157
200 Volkov, wie Anm. 197, S. 203
201 In der Lutherschen Zählung
202 Chentova III, s. Anm. 191, S. 38; Anm. 37, S. 158
203 D. Šostakovič: «O podlinnoj i mnimoj programmnosti» (Über wirkliche und sogenannte Programmatik), in: Sovetskaja Muzyka 5/1951, S. 76–78, dort S. 77
204 Brockhaus, s. Anm. 105, S. 84
205 Ebenda
206 M. Koval', wie Anm. 117, Sovetskaja Muzyka 4/1948, S. 13
207 Chrennikov, wie Anm. 172, S. 33
208 Centova III, s. Anm. 191, S. 55–58
209 Ebenda, S. 64–71
210 Ebenda, S. 94–102
211 Ebenda, S. 110–112
212 Ebenda, S. 113–116
213 Ebenda, S. 117
214 Ebenda, S. 119–125
215 Ebenda, S. 130–138; Meyer, wie Anm. 4, S. 123–126
216 Meyer, wie Anm. 4, S. 119
217 Chentova III, s. Anm. 191, S. 138–147
218 Ebenda S. 218–227
219 Ebenda S. 234
220 Ebenda S. 219
221 Meyer, wie Anm. 4, S. 126
222 Chentova, wie Anm. 191, S. 164
223 Meyer, wie Anm. 4, S. 126
224 Chentova II, wie Anm. 23, S. 244
225 «O žurnalach ‹Zvezda› i ‹Leningrad›», Entschließung vom 14. August 1946, in: «Neue Russische Bibliothek», Heft 31: «Über Literatur». Berlin: Volk und Wissen 1952, S. 24–30
226 Nadeschda Mandelstam: «Generation ohne Tränen». Frankfurt: S. Fischer 1975, S. 295
227 «Doklad A. A. Ždanova o žurnalach ‹Zvezda› i ‹Leningrad›» (Referat A. A. Schdanows über die Zeitschriften «Stern» und Leningrad), wie Anm. 225,

S. 42–75

228 Boris Schwarz, wie Anm. 40, S. 207f
229 Abgedruckt bei Karl Laux: «Die Musik in Rußland und in der Sowjetunion». Berlin: Henschel 1958, S. 407–412
230 Schwarz, wie Anm. 40, S. 214
231 Zitiert nach Laux, wie Anm. 229
232 «Vstupitel'naja reč' tov. A. A. Ždanova na soveščanii dejatelej sovetskoj muzyki v CK VKP(b)» (Einführungsrede des Gen. Schdanow vor dem Ausschuß der sowjetischen Musikschaffenden beim ZK der Allunions-KP[B]), Sovetskaja Muzyka 1/1948, S. 9–13; S. 14–26
233 «Za tvorčestvo, dostojnoe sovetskogo naroda» (Für eine Kunst, die des sowjetischen Volkes würdig ist). Sovetskaja Muzyka 1/1948, S. 54–62
234 Ebenda, S. 56
235 Alexander Werth: «Musical uproar in Moscow». London: Turnstile Press 1949
236 Ebenda S. 69
237 «Govorjat klassiki» (Es sprechen die Klassiker), Sovetskaja Muzyka 1/1948, S. 29f
238 Wie Anm. 233
239 Wie Anm. 172
240 Sovetskaja Muzyka 5/1948
241 Wie Anm. 117
242 Redaktionelle Anmerkung in «D. Šostakovič o vremeni i o sebe», wie Anm. 1, S. 132
243 S. Anm. 203
244 Sovetskaja Kul'tura, 8. März 1955, S. 3
245 Nach Laux, s. Anm. 229, S. 418–421
246 Meyer, wie Anm. 4, S. 171, 179
247 Frdl. Auskunft von Herrn Prof. Dr. Karl Laux, 1962
248 Frdl. Mitteilung André Volkonsky, April 1980
249 Chentova II, wie Anm. 23, S. 22
250 V. Bogdanov-Berezovskij: «Aleksandr Moiseevič Veprik». Moskau/Leningrad: Muzyka 1964, S. 109–110
251 Frdl. Mitteilung Prof. Michael Goldsteins, Hamburg, nach Auskünften von Weprik und dessen Frau
252 Frdl. Mitteilung Prof. Goldstein
253 Ebenso
254 Chentova II, wie Anm. 23, S. 200–202
255 Chentova III, wie Anm. 191, S. 166–168
256 Meyer, wie Anm. 5, S. 107
257 Chentova III, wie Anm. 191, S. 205
258 Chentova II, wie Anm. 23, S. 203
259 Ebenda S. 210
260 Ebenda S. 204
261 Ebenda S. 213
262 Ebenda
263 Meyer, s. Anm. 4, S. 107
264 Chentova II, wie Anm. 23, S. 206
265 Ebenda S. 207
266 Ebenda S. 212f
267 Ebenda S. 215f

268 Ebenda S. 210 f

269 Ebenda S. 214

270 Sofija Chentova: Šostakovič, Tridcatiletije 1945–1975 (Sch., die 30 Jahre von 1945 bis 1975), Leningrad: Sovetskij Kompozitor 1982 (= Chentova IV), S. 33, s. a. 98, 357

271 Veröffentlichung dieses und der folgenden Briefe mit frdl. Genehmigung von Edison Denissow und Frau Irina Antonowna Schostakowitsch. Einige dieser Briefe sind in der «UdSSR-Nummer» der Neuen Zeitschrift für Musik, Mainz: Schott Nr. 2/1981, S. 152–154 veröffentlicht. Eine Gesamtveröffentlichung ist in der Publikationsreihe «Musik des Ostens» vorgesehen

272 Zwei rechte Schuhe im Gepäck. Erinnerungen eines russischen Weltbürgers. München/Zürich: Piper 1975, S. 313 f

273 Laut frdl. Mitteilungen in einem Gespräch am 13. 12. 1981

274 Desgleichen

275 Mitteilungen an den Verf. vom Januar 1980

276 Frdl. Mitteilung von Herrn Werner Hecht, Brecht-Zentrum der DDR, vom 24. 11. 1981, sowie von Herrn Dr. Christoph Hellmundt, Leipzig. Die Filmmusik trägt die Opuszahl 95. Zu Bertolt Brechts privaten Tagebüchern vgl. Brigitte Klumpp: Das rote Kloster. Hamburg: Hofmann und Campe 1978, S. 171–174

277 Volkov, wie Anm. 197, S. 42

278 Gespräch mit dem Verf. am 5. 1. 1982

279 Gespräch mit dem Verf. im April 1980

280 Wie Anm. 4, S. 225

281 Meyer, wie Anm. 4, S. 159

282 Vgl. u. a. Boris Schwarz, s. Anm. 40, S. 278

283 Ju. Kremlev: O desjatoj Simfonii Šostakoviča. Nr. 4/1957, S. 74–84

284 Meyer, wie Anm. 4, S. 171

285 Ebenda S. 269

286 «Pravdivo otražat' našu sovremennost'» (Unsere Gegenwart wahrhaftig abbilden), in: «Sovetskaja Muzyka» 7/1961, S. 3 f; «Byt' dostojnymi épochi» (Der Epoche würdig sein), Sovetskaja Muzyka 10/1961; «Opravdaem doverie partii» (Rechtfertigen wir das Vertrauen der Partei), Sovetskaja Muzyka 1/1962, S. 9–10; «Nas vdochnovljaet partija» (Uns inspiriert die Partei), Sovetskaja Muzyka 3/1962, S. 1–15; «Za vysokuju partijnost' iskusstva» (Für eine hohe Parteilichkeit der Kunst), Sovetskajá Muzyka 2/1964, S. 3–8; «Tri voprosa-otvet odin» (Drei Fragen – eine Antwort. Festrede zum 18. Plenum). Sovetskaja Muzyka 12/1964

287 D. Šostakovič o vremeni o sebe, vgl. Anm. 1

288 Diesen Eindruck bestätigt Rubens Tedeschi: «Ždanov l'immortale». Fiesole: discanto edizioni 1980, S. 114 f

289 Vgl. hierzu Václav Kučera: Nové proudy v sovětské hudbě (Neue Strömungen in der sowjetischen Musik), Prag: Panton 1967

290 Wiedergegeben in der deutschen Adaption von J. Morgener, Begleittext zur Platte Schostakowitsch: Sinfonien 1–15. Ariola/Eurodisc, 87623 XK

291 Vgl. Chentova II, s. Anm. 23, S. 202, 206, 215, 216; Volkov, s. Anm. 197, S. 9

292 Der mitunter begegnende Titel «Aus hebräischer Volkspoesie» ist irreführend; in Wirklichkeit handelt es sich um (ins Russische übertragene) jiddische Volksdichtungen, die Schostakowitsch vertonte. Diese von Joachim Braun, Jerusalem, ermittelten Liedtexte werden vom Verlag Sikorski, Hamburg, zu-

sammen mit dem Schostakowitschschen Opus 79 demnächst herausgegeben.

293 Meyer, s. Anm. 4, S. 172
294 Mitteilung an den Verf. im Januar 1980, vgl. Anm. 275
295 Chentova IV, s. Anm. 270, S. 196
296 Ebenda S. 197
297 Ebenda S. 198
298 RCA, «Red Seal», LSC, 3162 (ZRRS-3525/26)
299 A. Solženicyn: Odin den' Ivana Denisoviča. Moskau: Sovetskij Pisatel' 1963
300 Moskau: Sovetskij Kompozitor 1971/Melodia SM 02905-6
301 Meyer, wie Anm. 4, S. 270
302 Ebenda S. 181 f
303 Ebenda S. 286
304 Ebenda S. 211 f
305 Ebenda S. 212
306 Ebenda S. 213
307 Ebenda S. 221–222
308 Ebenda S. 222
309 Ebenda S. 182 f
310 Frdl. Mitteilungen Frau Irina Schostakowitsch, Prof. Dr. Ernst Hermann Meyer
311 Nach dessen frdl. Mitteilung
312 Krzysztof Meyer, s. Anm. 4, verweist darauf S. 202 f, besonders auch in der XIV. Sinfonie
313 Chentova IV, s. Anm. 270, S. 319
314 Meyer, s. Anm. 4, S. 181, vgl. D. Šostakovič o vremeni i o sebe, Anm. 1, S. 234, nach einem Interview in der Pravda vom 3. März 1960
315 Mitteilung Prof. Dr. Ernst Hermann Meyer vom 13. 12. 1981
316 Für Einblicke in ihre Arbeiten danke ich dem Verlag Sikorski.
317 In: «Das Orchester». Mainz: Schott 10/1981, S. 857
318 Wie Anm. 4, S. 216
319 Mündliche Mitteilung von Krzysztof Meyer, 20. 8. 1981
320 Wie Anm. 271
321 Wie Anm. 275
322 Meyer, wie Anm. 4, S. 216, Chentova IV, wie Anm. 270, S. 185
323 Interview mit Jürgen Köchel 1976, freundlich mitgeteilt von diesem.
324 Chentova III, wie Anm. 191, S. 205
325 Vgl. Anm. 271
326 S. Anm. 313, S. 103
327 Govorit Dmitrij Šostakovič/Dmitry Shostakovich speaks (Schallplatte): Melodie, MONO 33 M 30-41705-12 – frdl. Geschenk von Frau Irina Antonowna Schostakowitsch.
328 M. Aranovskij: «Zametki o tvorčestve» (Bemerkungen zum Schaffensprozeß). Sovetskaja Muzyka 9/1981, S. 16–22, dort S. 21 f
329 «Im übrigen gebe ich die Hoffnung nicht auf». Begegnung mit dem Komponisten Schostakowitsch. Frankfurter Allgemeine Zeitung, 11. August 1973
330 Meyer, wie Anm. 4, S. 217
331 Siehe Literaturverzeichnis unter Norman Kay, Samuel Aster, Stephen Brandon, Paul Dyer, George Longazo, Malcolm MacDonald, Russell Munneke, Hugh Ottaway und Arthur Smith.
332 Hiervon auszunehmen besonders die Arbeit von Edison Denissow: O instru-

mentacji Dymitra Szostakowicza. In: Res Facta, Nr. 4/1970, Kraków: Polskie Wydawnictwo Muzyczne, S. 118–149

333 Samyj blizkij. In: Literaturnaja gazeta, 28. Dez. 1960
334 Vgl. Iwan Sollertinsky: Das ethische Prinzip in der russischen Musik. In: Von Mozart bis Schostakowitsch. Leipzig: Philipp Reclam jun. 1979, S. 281–283
335 L. Borisov: Vospominanija Dmitrija Šostakoviča (Erinnerungen an D. Sch.); Novaja Russkaja Muzykal'naja Gazeta/Neue Russische Musikzeitung, Hamburg, 1/1981, S. 5
336 wie Anm. 197, S. 73, 80–87, 100, 207f, 213f
337 Chentova IV, wie Anm. 270, S. 78
338 Ebenda S. 316
339 Ebenda S. 317
340 Volkov, wie Anm. 197, S. 244
341 Chentova IV, wie Anm. 270, S. 337–39
342 Ebenda S. 340

Zeittafel

1906	Am 12. September alter (25. neuer) Zeitrechnung wird Dimitri Dimitrijewitsch Schostakowitsch als Sohn von Dimitri Boleslawowitsch Sch. und Sofia Wassiljewna geb. Kokoulin in St. Petersburg geboren.
1915–1917	Erste Kompositionsversuche.
1918	Bekanntschaft mit dem Maler Boris Kustodiew, der seine Begabung entdeckt und ihn porträtiert.
1919	Improvisationsunterricht bei G. Bruni, erste Vorstellung bei Alexander Glasunow, im August Theorie und Gehörbildung bei A. Petrow, im Herbst Eintritt ins Konservatorium mit den Fächern Klavier bei A. Rosanowa und Komposition bei Maximilian Steinberg.
1920	Vortrag eigener Kompositionen in privaten Zirkeln, u. a. bei Kustodiew. Übergang in die Klavierklasse Leonid Nikolajews.
1921	Glasunow bemüht sich um Stipendien für Schostakowitsch u. a. bei Lunatscharski und Gorki. Beteiligung am Zirkel junger Komponisten im Konservatorium.
1922	24. Februar Tod des Vaters, wirtschaftliche Notlage.
1923	Vorbereitung aufs Klavierexamen, Erkrankung an Bronchien- und Lymphdrüsentuberkulose, Operation, Abschlußexamen in Klavier, Kur auf der Krim. Ab Herbst als Stummfilmpianist neben dem Kompositionsstudium. Erster Kontakt mit Meyerholds Theater.
1924	März: Der Konservatoriumsrat verweigert Schostakowitsch die weitere Teilnahme am akademischen Kurs wegen «Jugend und Unreife». Klavierbegleiter der Tänzerin M. Ponna im Zirkel «Freunde der Kammermusik». 3. April: Gesuch um Aufnahme ins Moskauer Konservatorium. Arbeit an der I. Sinfonie.
1925	Eintritt in die Gewerkschaft Kunst. Führt Klavierwerke Josef Schillingers öffentlich auf. Am 20. März in Moskau Klavierabend mit eigenen Kompositionen. Bekanntschaft mit M. Tuchatschewski und Boleslaw Jaworski, der dem Dirigenten Nikolai Malko Schostakowitschs am 1. Juli fertiggestellte I. Sinfonie zur Aufführung empfiehlt.
1926	20. April: Der Rat der wissenschaftlich-kompositorischen Fakultät des Leningrader Konservatoriums nimmt Schostakowitsch als Aspiranten auf. Uraufführung seiner I. Sinfonie am 12. Mai durch die Leningrader Philharmonie unter Nikolai Malko. Seit Oktober Lehrauftrag für Partiturspiel am Leningrader Musikalischen Technikum. Uraufführung der I. Klaviersonate in Leningrad am 12. Dezember. Begegnung mit Darius Milhaud.

1927	Uraufführung des Oktetts op. 11 im Mozartsaal in Moskau am 9. Januar. Ende Januar Teilnahme am Warschauer Chopin-Wettbewerb, danach vom 6. bis 15. Februar in Berlin, wo Bruno Walter die I. Sinfonie am 5. Mai zur Erstaufführung bringen wird. Erste Arbeiten an der *Nase* und an der 2. Sinfonie, die beim Wettbewerb zum 10. Jahrestag der Oktoberrevolution den 1. Preis der Leningrader Philharmonie erhält. Lernt bei Kuraufenthalt im Sommer Nina Wassiljewna Warsar kennen, seine spätere Frau. Beteiligt an Schönberg- und Křenek-Aufführungen der Leningrader Philharmonie, Beginn der Freundschaft mit Iwan Sollertinski. Uraufführung der II. Sinfonie am 4. Dezember in Moskau unter Konstantin Saradshew. Begegnung mit Alban Berg bei «Wozzeck»-Aufführung.
1928	Januar: Arbeit als Musikdramaturg und Pianist am Meyerhold-Theater in Moskau, Arbeit an der *Nase*. Rückkehr nach Leningrad. Im Juli Fertigstellung der *Nase*. Nikolai Malko bringt am 24. November eine daraus zusammengestellte Orchestersuite in Moskau zur Aufführung. Begegnung mit Arthur Honegger in Leningrad. Debut als Filmkomponist mit der Musik zum Stummfilm «Das neue Babylon». Amerikanische Erstaufführung der I. Sinfonie am 2. November in Philadelphia unter L. Stokowsky.
1929	Studioaufführungen und Diskussionen zur Oper *Die Nase* in Leningrad. Bekanntschaft mit Wladimir Majakowski, für dessen «Wanze» im Meyerhold-Theater Schostakowitsch die Musik komponiert. Am 18. März Premiere des «Neuen Babylon», bereits am 21. wird Schostakowitschs Musik daraus entfernt. Am 16. Juni Konzertaufführung der *Nase* in Leningrad und anschließende Diskussion. Beginn der Arbeit an der III. Sinfonie im Sommer in Tuapse.
1930	14. Januar Diskussion der *Nase* im «Haus der Kultur Moskau-Narwa» (Leningrad), 18. Januar Uraufführung im Kleinen Operntheater; 21. Januar: erfolgreiche Uraufführung der III. Sinfonie in Leningrad unter A. Hauck, 19. März Uraufführung einer Orchestersuite aus dem Ballett *Das goldene Zeitalter*. Erste Arbeiten an der *Lady Macbeth*. 1930–33 musikalische Mitarbeit am Leningrader Theater der Arbeiterjugend (TRAM).
1931	8. April: Uraufführung des Balletts *Der Bolzen*, kritische Aufnahme. *Die Nase* wird vom Spielplan abgesetzt. Diskussionen um den Film «Goldene Berge». Am 20. November veröffentlicht er die *Deklaration der Pflichten eines Komponisten*. Fortsetzung der Arbeit an der *Lady Macbeth*, daneben an der Schauspielmusik «Hamlet» für das Wachtangow-Theater.
1932	Februar: Beginn einer Sinfonie *Von Karl Marx zu unseren Tagen* (unvollendet). 23. April: Entschließung des ZK der KPdSU über die Reorganisation der literarischen und künstlerischen Organisationen, Gleichschaltung der Musikorganisation im Sowjetischen Komponistenverband; Schostakowitsch wird in den Vorstand der am 1. August gebildeten Leningrader Abteilung gewählt. 13. Mai Heirat mit Nina Wassiljewna Warsar. – Im Winter 1932/33 Komposition der 24 Präludien in Moskau. Am 24. Mai
1933	Uraufführung der Präludien durch den Komponisten in Moskau, am

15. Oktober seines Klavierkonzerts in Leningrad unter Fritz Stiedry. In Leningrad zum Stadtbezirksverordneten gewählt.

1934 22. Januar: Uraufführung der *Lady Macbeth* im Leningrader Kleinen Opterntheater, am 24. Januar im Moskauer Theater «Nemirowitsch-Dantschenko» im Beisein von Gorki. Juni: *Lady Macbeth*, *Das goldene Zeitalter* und *Der Bolzen* sowie das Klavierkonzert stehen auf dem Programm des Leningrader Musikfestivals. Begegnung mit Dimitri Mitropoulos, Vorgespräche mit Arthur Rodzinski über Aufführungen der *Lady Macbeth* in New York, Cleveland und Philadelphia. Bekanntschaft mit Aram Chatschaturjan. 25. Dezember: Uraufführung der Sonate für Cello und Klavier mit Viktor Kubatzki. *Das goldene Zeitalter* erscheint in England auf Schallplatte. Schostakowitsch hilft dem jungen Komponisten Iwan Dsershinski bei dessen Oper «Der stille Don».

1935 31. Januar: Aufführung der *Lady Macbeth* in Cleveland, weitere Aufführungen in New York (5. 2.), Philadelphia (5. 4.), weitere in Buenos Aires, Zürich, Prag, Bratislava und Stockholm (16. 11.). 13. September: Beginn der Arbeit an der IV. Sinfonie, die im Spielplan der Leningrader Philharmonie bereits angekündigt ist. – 26. Dezember: Stalin besucht eine Vorstellung der *Lady Macbeth* im Bolschoi-Theater (und verläßt sie nach der Pause).

1936 11. Januar: Der englische Dirigent Albert Coates leitet in Moskau eine Aufführung des Klavierkonzertes. Konzertreise mit Viktor Kubatzki nach Archangelsk. 28. Januar: Redaktioneller Artikel in der Prawda: «Chaos statt Musik», ebenda am 6. Februar «Ballettverfälschung»; 15. Februar: Resolution Moskauer Komponisten und Musikwissenschaftlern (in Abwesenheit Schostakowitschs) zu diesen Artikeln. 9. März: Die Musik zum Trickfilm «Das Märchen vom Popen» muß neu instrumentiert werden. 14. März: Referat Meyerholds im Zentralen Lektorat: «Meyerhold gegen die Meyerholderei». 26. April: Beendigung der IV. Sinfonie. 30. Mai: Geburt der Tochter Galina. 23. November: Zieht die IV. Sinfonie zurück.

1937 In den «Säuberungen» dieser Jahre kommen unzählige Intellektuelle um, darunter Freunde Schostakowitschs. Berufung als außenordentlicher Professor für Komposition ans Leningrader Konservatorium im Frühjahr. 18. April–20. Juli: Komposition der V. Sinfonie, Uraufführung am 21. November in Leningrad unter Jewgeni Mrawinski.

1938 Aufführungen der V. Sinfonie in Moskau (29. 1.), Tiflis (13. 2.), Charkow, Rostow, Archangelsk und Chabarowsk, die Partitur erhalten Arturo Toscanini, Otto Klemperer und Leopold Stokowsky, Aufführungen auch in New York (25. Mai, Rodzinsky) und Paris (17. Juni, Desormière). – 10. Mai: Geburt des Sohnes Maxim. Im Sommer Fertigstellung des I. Quartetts, Uraufführung am 10. Oktober vom Glasunow-Quartett; Suite für Jazzorchester, Uraufführung 20. September vom Staatlichen Jazzorchester unter W. Knuschewitzky.

1939 23. Mai: Ernennung zum Ordentlichen Professor. April–November: Arbeit an der VI. Sinfonie. 24. November: Vertrag mit dem Kirow-Theater über eine neue Instrumentation von Mussorgskys «Boris Godunow».

1940	Im Sommer entsteht das Klavierquintett, Uraufführung 23. November mit dem Beethoven-Quartett.
1941	Dieses steht, neben der V. Sinfonie, auch auf dem Programm des Schlußkonzerts der «Dekade sowjetischer Musik» in Leningrad am 2. Januar und erhält am 16. März den Stalinpreis. 31. Mai: eine VII. Sinfonie wird im Spielplan der Leningrader Philharmonie angekündigt. Sommeraufenthalt mit Familie auf der Datscha in Komarowo, dem früheren finnischen Kellomjaki, Arbeit an einer Sinfonie zum Gedenken Lenins. Beginnt am 15. Juli, nach dem Kriegsausbruch, am 22. Juni, die jetzige VII. Sinfonie zu komponieren, wird am 1. Oktober ausgeflogen und nach Kuibyschew evakuiert, dort Beendigung der VII. Sinfonie am 27. Dezember.
1942	Uraufführung der VII. Sinfonie vom evakuierten Orchester des Bolschoi-Theaters in Kuibyschew am 5. März unter S. Samossud, am 29. März in Moskau, am 29. Juni englische Erstaufführung in London, am 19. Juli amerikanische Erstaufführung unter Toscanini, der 60 Aufführungen auf dem amerikanischen Kontinent folgen. Im Mai Beginn der Arbeit an der Oper *Die Spieler* nach Gogol.
1943	Arbeit an der II. Klaviersonate. Im März Rückkehr nach Moskau. Im Sommer Arbeit an der VIII. Sinfonie, Uraufführung unter J. Mrawinski am 3. November in Moskau, umstrittene Aufnahme. Auf dem Plenum des Komponistenverbandes kritisiert Prokofjew das Werk als weitschweifig. Schostakowitsch wird Ehrenmitglied des Amerikanischen Instituts für Kunst und Literatur.
1944	Februar: Vollendet die Oper «Rothschilds Geige» seines gefallenen Schülers Benjamin Fleischmann. Am 11. Februar stirbt sein nächster Freund Iwan Sollertinski. 2. April: amerikanische Erstaufführung der VIII. Sinfonie unter Rodzinsky in New York, am 21. April unter Kussewitzky in Boston, am 26. April in Mexiko unter C. Chavez. Beendet im September sein II. Quartett, im Oktober Reise nach Leningrad zu Konzerten mit seinen Liedern englischer Dichter, zur Uraufführung des Trio und des II. Quartetts.
1945	9. Mai: Erlebt die Siegesfeiern auf dem Roten Platz in Moskau. Komposition der IX. Sinfonie, vollendet 30. August. Ihre Uraufführung am 20. November unter J. Mrawinski enttäuscht die Erwartungen auf ein pompöses Siegeswerk. Behält Wohnsitz in Moskau.
1946	Januar–August: Arbeit am III. Streichquartett, vollendet in Komarowo. Aufführungen der IX. Sinfonie in Paris (20. 3.) und in den USA (25.–28. 7., 7. 11.), Uraufführung des III. Quartetts durch das Beethoven-Quartett in Moskau.
1947	1. Februar: Erneut zum Professor des Leningrader Konservatoriums berufen, am 6. Februar zum Vorsitzenden der Leningrader Komponistenorganisation gewählt, am 9. Februar zum Deputierten des Obersten Sowjets der Russischen Föderativen Sowjetrepublik. – Mai: Reise nach Prag, Teilnahme am Internationalen Kongreß der Komponisten, Kritiker und Musikwissenschaftler; triumphaler Erfolg der VIII. Sinfonie. Im Sommer in Komarowo Arbeit am Violinkonzert.
1948	10. Februar: Der Beschluß des ZK der KPdSU, der den «Formalismus» bei den sowjetischen Komponisten verurteilt, erneuert die

«Prawda»-Angriffe gegen die *Lady Macbeth* und greift neben Muradeli, Mjaskowski, Schebalin, Popow, Prokofjew und Chatschaturjan vor allem Schostakowitsch an, der anschließend im Kreuzfeuer einer Artikelserie in der Zeitschrift «Sowjetskaja Musyka» von Marian Kowal steht. Wortführer der Angriffe gegen den «Formalismus» auf dem nachfolgenden Plenum des Komponistenverbandes, darunter gegen die VII., VIII. und IX. Sinfonie Schostakowitschs, ist der seither als I. Sekretär des Verbandes amtierende Komponist Tichon Chrennikow. Schostakowitsch büßt seine Lehrämter ein – auch die Professur am Leningrader Konservatorium wird wegen «Mittelkürzung» suspendiert. Erneut wirtschaftliche Notlage; die Ehefrau Nina Wassiljewna nimmt Arbeit in einem Laboratorium der Leningrader Universität in Agapaz im armenischen Kaukasus an, der sie bis zu ihrem Tode nachgeht. – Schostakowitschs im Oktober komponierter Zyklus *Aus jüdischer Volkspoesie* bleibt wegen der einsetzenden «antizionistischen» Kampagne unaufgeführt.

1949	März: Schostakowitsch wird zur «Friedenskonferenz internationaler Wissenschaftler und Künstler» nach New York entsandt, gibt dort erfolgreiche Gastspiele, u. a. spielt er im Madison Square Garden das Scherzo seiner V. Sinfonie. Ein geplantes, ausverkauftes Konzert in Philadelphia kann nach Protesten amerikanischer Kriegsteilnehmer nicht mehr stattfinden; er wird aus den USA ausgewiesen. In der Sowjetunion positive Aufnahme seines *Liedes von den Wäldern*, das den damaligen Stalinschen Aufforstungsplan preist (Uraufführung am 15. Dezember in Leningrad). Dagegen kann sein 1949 komponiertes IV. Streichquartett nicht aufgeführt werden; es wird auch nach der Uraufführung am 3. Dezember 1953 zunächst totgeschwiegen.
1950	Stalinpreise für die Filmmusik «Der Fall von Berlin» und für *Das Lied von den Wäldern*. Reise zum Kongreß des «Weltfriedensrates» in Warschau, Begegnung mit Hanns Eisler in Ost-Berlin, Besuch der Feierlichkeiten zum 200. Todestag Bachs in Leipzig, dort Jurymitglied beim Bach-Wettbewerb; hierbei angeregt zur Komposition seiner *24 Präludien und Fugen* op. 87, die er am 25. Februar 1951 beendet.
1951	18. Februar: Deputierter des Obersten Sowjets der FSFSR. 10. Oktober: Der Sweschnikow-Chor kann seine *Zehn Poeme* op. 88 in Moskau uraufführen. – 18. November: Schostakowitsch spielt im Leningrader Glinka-Saal aus seinen Präludien und Fugen.
1952	1. Januar: Vollendet V. Streichquartett, vorerst unaufgeführt. – März– April: Reise nach Berlin, Leipzig und Dresden (Beethoven-Ehrung der DDR). – Oktober: Komposition der Vier Monologe. 6. November: Die Kantate *Über unserer Heimat strahlt die Sonne* wird beim 19. Parteitag der KPdSU uraufgeführt. 23. und 28. Dezember: Gesamt-Uraufführung der Präludien und Fugen im Leningrader Glinka-Saal durch Tatjane Nikolajewa.
1953	Am 5. März Tod Stalins. Im Sommer in Komarowo Komposition der X. Sinfonie, vollendet am 25. Oktober, ihre Uraufführung am 17. Dezember (Leningrader Philharmonie unter Mrawinski) löst wieder langanhaltende Diskussionen aus. Die Uraufführungen des V. und IV. Streichquartettes am 13. November und 3. Dezember werden totgeschwiegen.

1954	20. Januar: Uraufführung des Concertino op. 94 mit dem Sohn Maxim. 29.–30. März, 5. April: Diskussion im Komponistenverband über die X. Sinfonie, die im Ausland großen Erfolg hat, mit Aufführungen in London (A. Boult), Paris (D. Mitropoulos), Leipzig (Konwitschny), Tokio, New York (Mitropoulos), Wien, Basel, Bern, Zürich, Mailand, Neapel und Athen. – Mai: Begegnung mit Bertolt Brecht bei der Tagung des «Weltfriedensrats» in Berlin. 9. Dezember: Ehrenmitglied der Schwedischen Königlichen Musikakademie. Am 4. Dezember stirbt in Jerewan die Ehefrau Nina Wassiljewna nach kurzem Klinikaufenthalt an Krebs.
1955	Am 15. Januar wird im Glinkasaal, Leningrad, *Aus jüdischer Volkspoesie* unter Mitwirkung Schostakowitschs uraufgeführt. Am 19. März trägt Schostakowitsch im Kleinen Operntheater Leningrad aus dem Klavierauszug der *Lady Macbeth* vor. 15. April: Vorschläge des Librettisten I. Glückmann für Neutextierungen. Ernennung zum korrespondierenden Mitglied der Akademie der Künste der DDR. – Die Uraufführung des I. Violinkonzerts mit David Oistrach unker J. Mrawinski im Großen Saal der Leningrader Philharmonie am 29. Oktober findet offiziell keine Resonanz. –
1956	15. Januar: Ehrenmitglied der Accademia Santa Cecilia, Rom. Im Sommer Heirat mit der Lehrerin Margarita Andrejewna Kainowa, die Ehe wurde 1959 geschieden. Die *Spanischen Lieder* und das VI. Quartett entstehen. – September: Das Leningrader Kirow-Theater interessiert sich für eine Wiederaufführung der *Lady Macbeth*. Anläßlich seines 50. Geburtstags mehrere «Autorenkonzerte», u. a. wird erstmalig die VIII. Sinfonie wieder aufgeführt; am 6. Oktober Uraufführung des VI. Quartetts durch das Beethoven-Quartett in Leningrad.
1957	5. Februar: Beendet das II. Klavierkonzert – im April Anhörung im Kulturministerium, am 10. Mai Uraufführung in Moskau, Solist: der Sohn Maxim (Diplomkonzert). – 28. März–5. April: Vom Plenum des Komponistenverbandes der UdSSR wird Schostakowitsch zum Sekretär gewählt. Diese Funktion behält er bis 1968. – Februar–4. August: Komposition der XI. Sinfonie, u. a. unter dem Eindruck der ungarischen Ereignisse. Uraufführung am 30. Oktober in Moskau unter N. Rachlin, 1958 mit dem Leninpreis ausgezeichnet.
1958	2. Januar: Amerikanische Erstaufführung des II. Klavierkonzerts unter und mit Leonard Bernstein in New York. – 28. Mai: Beschluß des ZK der KPdSU, der den Musikbeschluß vom 10. Februar 1948 in gewisser Hinsicht korrigiert. – 20.–30. Mai: in Paris Verleihung des Ordens Chevallier des Arts et Lettres. 25. Juni: Oxford, Ehrenmitglied der Englischen Königlichen Musikakademie und Ehrendoktor der Universität Oxford. 9. Oktober: Internationaler Jan-Sibelius-Preis in Helsinki. – September–November: Komposition der Operette *Moskau-Tscherjomuschki* zum Thema sowjetischer Wohnungsprobleme. –
1959	20. Januar: Uraufführung von *Moskau-Tscherjomuschki* im Moskauer Operettentheater, Gastspiel in Rostow/Don. – 20. Juli–1. September: Komposition des I. Cellokonzerts, 4. Oktober Uraufführung im Großen Saal der Leningrader Philharmonie mit Mstislaw Rostropowitsch,

24. Oktober amerikanische Erstaufführung in Washington. – Im September Reise zum 3. «Warschauer Herbst», im November/Dezember mit offizieller Delegation in die USA. Ehrenprofessor des Mexikanischen Konservatoriums, Mitglied der Akademie der Wissenschaften der USA. – 14. November und Spielzeit 1959/60: Neuaufführung der *Lady Macbeth von Mzensk* an der Deutschen Oper am Rhein in Düsseldorf/Duisburg (Dramaturg: Reinhold Schubert, Regie: Bohumil Herlischka, Mus. Leitung: Alberto Erede, Bühnenbild: Teo Otto) in der Fassung der dreißiger Jahre. – 11. November: Diagnose einer unheilbaren chronischen Entzündung des Rückenmarks, die sich in Lähmungen der rechten Hand ankündigt.

1960   9. April: Zum I. Sekretär des Komponistenverbandes der RSFSR gewählt. – 15. Mai: Uraufführung des VII. Quartetts in Leningrad. Juli–August: Aufenthalt in Dresden und im Sanatorium Gohrisch/Sächs. Schweiz – Arbeit am Film «Fünf Tage – fünf Nächte» und Komposition des VIII. Streichquartetts unter dem Eindruck von Berichten über die Zerstörung Dresdens. – 14. September: Aufnahme als Kandidat in die KPdSU. – 2. Oktober: Uraufführung des VIII. Streichquartetts in Leningrad. – 22. Oktober–27. Dezember: im Krankenhaus. – 29. November: Uraufführung der Neuinstrumentierung Schostakowitschs von Mussorgskys «Chowantschtschina» im Leningrader Kirow-Theater.

1961   21. Januar–Anfang Februar Krankenhausaufenthalt, im Juni nochmals Sanatoriumsaufenthalt in Zchaltubo. Nach Fertigstellung der XII. Sinfonie Anhörung am 8. September im Russischen Komponistenverband, 1. Oktober Uraufführung anläßlich des XXII. Parteitags der KPdSU. – 14. September: Aufnahme in die Partei. – 30. Dezember: Die Uraufführung der IV. Sinfonie in Moskau unter Kyrill Kondraschin findet enthusiastische Aufnahme.

1962   18. März: Deputierter des Obersten Sowjets der UdSSR. – 26. März–3. April: 3. Plenum des Komponistenverbandes, Kontroverse mit Tichon Chrennikow. – 2. April: Vertrag mit dem Ministerium für Kultur der RSFSR über eine Neubearbeitung der *Lady Macbeth*. März–Juli: Arbeit an der XIII. Sinfonie. Ihre Moskauer Uraufführung am 18. Dezember unter Kondraschin wird vom Publikum enthusiastisch gefeiert und in der Presse angefeindet, ebenso zwei Aufführungen Anfang 1963 in Minsk. – August–September: Gefeiert bei den Edinburgher Festspielen, dort u. a. westliche Erstaufführung der IV. Sinfonie. Kündigt die neue Redaktion der *Lady Macbeth* an. – 22. Dezember: Generalprobe dieser Fassung im Moskauer Nemirowitsch-Dantschenko-Theater, 26. Dezember: Uraufführung, die nicht öffentlich angekündigt, sondern an Stelle des «Barbier von Sevilla» eingeschoben wird. – November: Heirat mit Irina Antonowna Supinskaja.

1963   8. Januar: Offizielle Premiere der *Katharina Ismailowa*, nächste Aufführungen in Riga (23. November) und London (Covent Garden, 2. Dezember) werden vom Komponisten betreut. – Ernennung zum Mitglied des Internationalen Musikrates bei der UNESCO. Wiederaufführung der *Nase* in Düsseldorf.

1964	Aufführungen der *Katharina Ismailowa* in Zagreb (7. Dezember). – Helsinki und Nizza (April), Péc und San Francisco (Dezember). – Komposition des IX. und X. Streichquartetts (beendet 28. Mai bzw. 20. Juli), Uraufführungen in Moskau am 20. November. Erstmalige Wiederaufführungen der II. und III. Sinfonie in Moskau und Leningrad. 28. Dez.: Uraufführung des *Stepan Rasin*. Keine Aufführungen der XIII. Sinfonie mehr.
1965	6.–26. Januar im Krankenhaus. An der *Hinrichtung des Stepan Rasin* werden Kürzungen nötig. Aufführungen der *Katharina Ismailowa* in Wien (12. Februar), Kasan (17. Februar), Kiew (23. März), Ruse/Bulgarien (März), Leningrad (17. April) und Budapest (Dezember, dort Begegnung mit Zoltan Kodály). – Die XIII. Sinfonie darf in veränderter Fassung in Gorki aufgeführt werden: Proben im Dezember. – November: Ehrenmitglied der Serbischen Akademie der Künste.
1966	Januar: Verfilmung der *Katharina Ismailowa* in Kiew. Aufführung u. a. in Leipzig (Oktober). – 30. Januar: Fertigstellung des XI. Quartetts (Uraufführung 28. Mai in Leningrad), des *Vorworts zur Gesamtausgabe meiner Werke* (am 2. März), des II. Cellokonzerts (27. April im Sanatorium Oreanda/Krim). 28. Mai: Herzinfarkt, Mai–August im Krankenhaus. – 12. Juni: in den Nationalitätensowjet der UdSSR gewählt. 21.–29. Juni: Das Leningrader Festival «Weiße Nächte» ist seinem Schaffen gewidmet. 25. Juni: Erst jetzt Leningrader Premiere der XIII. Sinfonie. August: Begegnung mit Anna Achmatowa in Repino. – 25. September: Uraufführung des II. Cellokonzerts mit Mstislaw Rostropowitsch in Moskau anläßlich des 60. Geburtstags, Festveranstaltungen auch in Dresden. Sofia u. a. – August: Goldmedaille der Englischen Königlichen Philharmonischen Gesellschaft; – 11. November: Vertrag über eine neue Oper *Der stille Don*. Dezember: im Krankenhaus. – Wiederaufführung der *Nase* in Frankfurt/M.
1967	3. Februar: Fertigstellung des Liederzyklus nach Alexander Blok (28. Oktober Uraufführung in Moskau), 28. Mai des II. Violinkonzerts (Uraufführung mit David Oistrach am 26. September in Moskau). 6. September–12. Oktober, 18. Oktober–7. November, 13. November–29. Dezember nach kompliziertem Beinbruch im Krankenhaus – seine Gehfähigkeit bleibt eingeschränkt. 15. März: Orden des Großen Silberzeichens der Republik Österreich.
1968	11. März: Beendigung des XII. Streichquartetts (Uraufführung 14. September in Moskau), ab 28. August: Komposition der Sonate für Violine und Klavier (Uraufführung 3. Mai mit Oistrach und Swjatoslaw Richter). – 15. Juli: Korrespondierendes Mitglied der Bayerischen Akademie der Schönen Künste.
1969	13. Januar–12. Februar: Im Krankenhaus. 2. März: Fertigstellung der größtenteils im Krankenhaus entstandenen XIV. Sinfonie. Uraufführung am 21. Juni in Moskau. – Januar: Wiederaufführung der *Nase* in Ost-Berlin. – Sommer: Reise nach Sibirien, Volkskünstler der Burjat-Mongolischen Autonomen Sowjetrepublik. 12. November–22. Dezember: Im Krankenhaus. November: Plan einer Oper nach Dostojewskis «Schuld und Sühne».
1970	Februar: Mozart-Gedenkmedaille der Wiener Mozart-Gesellschaft.

25. Februar–9. Juni: im Krankenhaus in Kurgan. Komponiert den Zyklus *Treue*. Juni: Ernst zum Deputierten des Obersten Sowjets der UdSSR gewählt. – 10. August: Vollendung des XIII. Quartetts. 27. August–1. November: im Krankenhaus in Kurgan. 5. Dezember: Uraufführung des Zyklus *Treue* in Tallinn.

1971   April–Juni: Komposition der XV. Sinfonie, teilweise (3.–27. Juni) im Krankenhaus in Kurgan, dann im Komponistenheim Repino (1.–29. Juli); Uraufführung am 8. Januar 1972 in Moskau. – 17. September: Zweiter Herzinfarkt, bis 26. Dezember im Krankenhaus und Sanatorium.

1972   Winter: Neue Aufführung der *Katharina Ismailowa* im Nemirowitsch-Dantschenko-Theater in Moskau. Frühjahr: Aufführungen der XV. in Leningrad, Saratow und Odessa. – 1. Juni: Deutsche Erstaufführung im Beisein des Komponisten in Berlin/West. Im Juni beginnen Proben zur ersten sowjetischen Wiederaufführung der *Nase* an der Moskauer Kammeroper. 30. Juni–21. Juli: Schiffsreise nach Helsinki, Kopenhagen, Irland (Ehrendoktor des St. Trinity College) und England (Besuch in Oldsborough bei Benjamin Britten). – 7. Oktober–5. November im Sanatorium, anschließend Reise nach Berlin (Inszenierungsgespräche zur *Katharina Ismailowa*), London («Chowanschtschina» in Schostakowitschs Bearbeitung im Covent Garden), New York (Erstaufführung des XIII. Quartetts) und London (Erstaufführung der XV. Sinfonie, Begegnung mit Allan Bush), 3. Dezember–7. Februar im Krankenhaus.

1973   18.–27. Februar in der DDR, zu Aufführungen der *Nase* und der *Katharina Ismailowa*. – 23. März–23. April: Komposition des XIV. Quartetts in Repino und Moskau, Uraufführung 12. November in Leningrad. – 5. Mai–2. Juni: in Dänemark zu Aufführungen der *Katharina Ismailowa* und der XV. Sinfonie, 2. Juni: nach Paris; von Le Havre Schiffsreise in die USA: Chicago, Evanston (Ehrendoktor der Schönen Künste), New York und Washington. August: Plan einer Neuinstrumentierung der «Fledermaus» von Johann Strauß. – 6.–27. Dezember im Krankenhaus. – Dänischer Léonie-Sonning-Musikpreis.

1974   Januar: in Repino Orchestrierung der *Sechs Gedichte Marina Zwetajewas*. 2. April: Eröffnungsrede beim 5. Komponistenplenum. 5.–29. Mai im Krankenhaus. 17. Mai: Fertigstellung des XV. Quartetts, Uraufführung 25. Oktober in Leningrad vom Tanejew-Quartett. – Juni: Als Deputierter des Obersten Nationalitätenrats der UdSSR gewählt (Wahlkreis Jadrino/Tschuwaschische Autonome Republik). 5. November: Vollendung der Michelangelo-Lieder, Uraufführung 23. Dezember in Leningrad. Dezember: Mitwirkung an der Inszenierung der *Katharina Ismailowa* in Kiew.

1975   Februar–März: in Repino, 1.–8. April: im Santorium. 6. Juli: Vollendet in Shukowka bei Moskau die Bratschensonate op. 147. 9. Juni–1. August: im Krankenhaus. Nach kurzer Rückkehr auf die Datscha Schukowka am 4. August wieder ins Krankenhaus Kunzewo, Tod am 9. August, 18.30 an Herzinfarkt. Am 14. August beigesetzt auf dem Friedhof am Nowodewitschi-(Neujungfrauen-)-Kloster.

Dokumente und Zeugnisse

Bemerkung: Urteile über Schostakowitsch aus sowjetischer Sicht wollen in Zusammenhängen bedacht sein, die dem westlichen Leser mitunter fremd sind. Man trägt seine Meinung nicht auf den Markt, oft nicht einmal im Gesicht, sondern hinter den Zähnen, und sie muß zwischen den Zeilen gelesen werden. Die folgenden «Zeugnisse» sind darum als «Dokumente» manchmal so ausführlich wiedergegeben, um eine Beurteilung der Voraussetzungen zu ermöglichen, die ihnen zugrundelagen.

PAWINA RYBAKOWA: «Schostakowitschs Musik zu Tonfilmen.» In: «Proletarskij Muzykant» [Der Proletarische Musiker], Moskau 10/1931, S. 39–41 – als typisches Dokument für die Positionen der RAPM Anfang der dreißiger Jahre:
... Eine organische Kontinuität zwischen der musikalischen Gestaltung und dem Inhalt eines Stummfilms wurde zuerst von der Gruppe «FEX» versucht, die bei der Arbeit an dem Stummfilm «Das neue Babylon» einen speziellen Komponistenauftrag an den Komponisten Schostakowitsch vergab. Ohne das Ergebnis dieser Arbeit zu bewerten, muß man den Versuch, dem Zuhörer eine Einheit von musikalischen und optischen Eindrücken zu vermitteln, aus unüberwindlichen technischen Hindernissen für gescheitert ansehen: niemand konnte diese Musik aufführen. Selbst in den besten Moskauer Theatern lief nur die Hälfte des Films (mit Orchester) zur Musik von Schostakowitsch – zwischendurch (wenn das Orchester keine Lust mehr hatte) improvisierte der Kinopianist, was ihm in den Sinn kam. Erst jetzt hat die technische Basis der Tonapparatur die Hindernisse für eine filmische Massenkunst beseitigt, und es entstehen neue, kompliziertere Probleme.
In diesem Zusammenhang ist es von Interesse, die Musik des Komponisten Schostakowitsch zu zwei Filmen zu analysieren ... «Goldene Berge» von Jutkjewitsch und «Allein» vom Studio FEX drücken verschiedene Prozesse aus, die im Mitläuferflügel der Kinematographie vor sich gehen. In «Allein» gelingt es ohne Zweifel, im Zuschauer mit künstlerischen Mitteln Gefühle des Zornes und des Abscheus gegen die Kulaken auf den sowjetischen Dörfern hervorzurufen, gegen Großbauern, Zauberpriester, Spekulanten usw. Aber die politische Idee ist nicht klar genug ausgedrückt. An einigen Stellen ist es schwer herauszufinden, ob sich der Protest gegen Einstellungen der sowjetischen Wirklichkeit richtet oder gegen diese Wirklichkeit selbst ...
... Im Gegensatz zu FEX ist es Jutkjewitsch, ungeachtet einer Reihe ernster Fehler, viel richtiger gelungen, den Prozeß der ideologischen Umwand-

lung aufzuzeigen. «Goldene Berge» sind in handwerklicher Hinsicht weniger oberflächlich und haben zweifellos einige Errungenschaften hinsichtlich dessen, wie sie das positive Material zeigen.

Dagegen fand das vorherrschende positive Material in den «Goldenen Bergen» bei Schostakowitsch keinen entsprechenden Ausdruck und wird durch die musikalische Charakterisierung in hohem Maße entstellt. Nur in der Zeichnung der Kulaken und kleinbürgerlichen Elemente ist Schostakowitsch der Lösung seiner Aufgabe nahegekommen. Er ist aber nicht mit der Aufgabe fertiggeworden, die progressiven revolutionären Tendenzen in der Arbeiterklasse zu zeigen, und dieses Versagen ist sehr charakteristisch. Hier begegnen einige wesentliche Züge seiner kompositorischen Methode überaus deutlich ...

... Auf den ersten Blick kann der Reichtum des aus dem Leben, aus dem Milieu gegriffenen Materials den Eindruck entstehen lassen, als sei seine Sprache ausschließlich realistisch. Und wirklich zeugt das musikalische Material dieser Filme – nach den gesuchten und unnatürlich-psychologischen Tendenzen der «Nase» und den Foxtrottrhythmen des «Goldenen Zeitalters» sind es jetzt pseudopopuläre und wirkliche Volkslieder, Motive und Tänze von der Straße und aus dem Salon – von einer bestimmten Wendung weg, von einer unsinnigen Phantastik zur realen Wirklichkeit hin. Aber es ist klar, daß nicht das Material als solches entscheidend ist, sondern wie es benutzt wird, nach welcher Methode es zusammengestellt und mit einem Sinn versehen wird. Und hier kommen wir zum grundlegenden Widerspruch dieser Filmmusik. Das Wiegenlied und die Drehorgel erweisen sich nicht als mehr oder minder zufällig eingeflochtene und eingestreute Einzelheiten eines Milieus, sondern als grundlegendes und beherrschendes thematisches Material. Dieses Material ist vollständig für die Charakteristik der handelnden Hauptfiguren im Verlauf des Filmes bestimmend. So wird zum Beispiel ein alberner Salonwalzer, den der Ingenieur spielt, zu einem ausdrücklichen und prägnanten Zug seiner allgemeinen Charakterisierung. Wenn dies Schostakowitsch aber bemerkt und gewollt hat, dann ist dies allerdings eine künstliche Vereinfachung auf Kosten der Vollständigkeit eines sozialen Typus und insofern eine zufällige und oberflächliche Behandlung. Das Wesen eines kapitalistischen Ingenieurs kann schließlich nicht mit einem Walzer erschöpfend charakterisiert werden ...

... Schostakowitsch findet weder für Boris noch für die anderen Arbeiter die nötige musikalische Charakterisierung ...

... Die positiven Elemente der sowjetischen Wirklichkeit fehlen in der Musik völlig.

Das Revolutionslied, das so eng mit dem Kampf des Proletariats verbunden ist, erklingt in dem Film nicht. Und das ist nicht zufällig. Wenn man das milieugebundene Material des Films aufmerksam verfolgt, sieht man, daß es Schostakowitsch von möglichst weit her holt (Lieder des alten Dorfes, der vorrevolutionären Stadt, des Gottesdienstes usw.).

Wenn in all diesen Fällen Schostakowitsch hinter einem äußerlichen «Objektivismus» der Darstellung seine Beziehung zu dem Dargestellten verbirgt, so führt eine andere seiner Methoden zu demselben Resultat. Anstelle einer allseitigen Beleuchtung dieser oder jener Situation gibt er in der Musik die zufälligen Stimmungen dieser oder jener der handelnden Personen wieder, die zu der dargestellten Szene womöglich nur eine indirekte Beziehung haben, oder er zieht die Aufmerksamkeit auf äußerliche, hinzugekommene Momente.

Auf diese Weise hat er für die sowjetische Stadt nicht ein einziges gutes Wort gefunden: sie ist immer nur in einer unanständigen, abstoßenden Musik wiedergegeben.

Der Spott über Motive des vulgären Milieus ist zweifellos einfacher als seine Überwindung. Die Kritik Schostakowitschs am Spießbürgertum gewinnt so einen etwas ästhetischen Charakter ...

WSEWOLOD MEYERHOLD: «Meyerhold gegen die Meyerholderei» / Aus einem Referat vom 14. März 1936 (einem der letzten vor seiner Liquidierung). In: MEYERHOLD: Schriften. 2. Band, Berlin: Henschel 1979, S. 321 f:

Wenn Sie die ausgezeichneten Werke Schostakowitschs betrachten, werden Sie sehen, in welchem Grad einzelne Teile des Werkes die qualvolle, komplizierte Arbeit des Komponisten zeigen, vollzogen, um jene Härte, jene zähe Vitalität, die Unkraut eigen ist, zu erlangen. Wir werden in seinen Werken eben das finden, was ich anfangs als das Unnütze definierte, dessen Existenz fragwürdig erscheinen kann, da es doch vernichtet werden muß.

Wenn Sie die äußerst komplizierten Werke Schönbergs und die äußerst komplizierten Werke des frühen Hindemith oder einige sogenannte Kunstgriffe von Strawinsky oder die pseudoradikalen Übertreibungen Prokofjews betrachten, werden Sie merken, daß gewisse unerläßliche Teile dieses «Unnützen» notwendig waren, um in die komplizierten Werke Schostakowitschs einzugehen, einzufließen.

NIKITA CHRUSCHTSCHOW: Erinnerungen [Vospominanija]. Hg.: V. Chalidze, New York: Chalidze 1979, S. 282 f:

Ich empfand und empfinde für den Genossen Schostakowitsch eine große Hochachtung. Ich erinnere mich jetzt nicht, worauf die konkrete Kritik seiner Werke beruhte und worin sie bestand, aber ich weiß, daß sie von Schostakowitsch anerkannt wurde, und deswegen kann ich nicht sagen, daß Schostakowitsch zur Zeit Stalins irgendeiner Verfolgung ausgesetzt gewesen wäre. Er komponierte und schrieb viel, besonders während des Krieges; er schuf seine Hauptwerke in Leningrad und nahm in der künstlerischen Intelligenz, unter den Komponisten eine ziemlich geachtete Stellung ein.

... Aber wir verstanden Schostakowitsch nicht in einigen konkreten Fragen, etwa wenn er auftrat und, von unserem Standpunkt aus, die Jazzmusik unterstützte. Auch hierin, wenn man so sagen darf, hatte er recht, denn man kann gegen diese Formen der Jazzmusik nicht mit administrativen Mitteln kämpfen. Das Volk muß seinen Standpunkt zu ihr artikulieren. Ich erinnere mich jetzt nicht an die Namen derer, die er verteidigte. Damals wurde ja sogar ein so glänzender Musiker und Komponist wie Leonid Utjossow kritisiert. Ich erinnere mich aus meiner Jugendzeit, wie die Utjossowschen Schlager in aller Munde waren und die «Prawda» Utjossow in tausend Stücke zerriß ...

WALTER SCHMID, von 1940 an Kulturattaché der Deutschen Botschaft in Moskau, über seine damaligen Kontakte mit der «Allunionsgesellschaft für auswärtige Kulturkontakte» (WOKS) und ihrem Präsidenten, Prof. Kemenow (Brief vom 17. April 1982):

... Mein ständiger Gesprächs- und Verhandlungspartner war Herr Heifez.

Bei meinem Antrittsbesuch kam Kemenow im Beisein von Heifez auf das Gebiet der Musik zu sprechen. Er fragte mich, ob ich Werke des Komponisten Dmitrij Schostakowitsch kenne. Wahrheitsgemäß mußte ich die Frage verneinen ... Kemenow sprach mit begeisternden Worten über Schostakowitschs musikalisches Schaffen und hob ihn als große Zukunftshoffnung und -erwartung für das musikalische Leben in der Sowjetunion hervor. Einige Zeit später ließ er mir durch Herrn Heifez die Partitur des Klavierquintetts mit dem Bemerken überreichen, ich möge mich doch selbst einmal von der Genialität Schostakowitschs überzeugen. Trotz der Anfeindungen durch die Partei ... galt also damals offenbar Schostakowitsch in Kreisen, die ein maßgebliches Urteil über das sowjetische Kulturleben besaßen ... als führender, wegweisender Komponist ...

Alexander Werth: «Rußland im Krieg». München/Zürich: Droemer/Knaur 1967, Bd. 2, S. 553:
Am Abend des 7. November [1944] traf man sich zu dem größten Empfang, den Molotow während des Krieges gab. Das gesamte Diplomatische Korps war inzwischen nach Moskau zurückgekehrt, und Molotows Einladung wurde zu einer äußerst glanzvollen und feuchtfröhlichen Angelegenheit ... Die ganze Gesellschaft war übersät mit Juwelen, goldenen Litzen und kostbaren Pelzen. Schostakowitsch – mit ihm waren Dutzende anderer Stars des sowjetischen Kulturlebens erschienen – zeigte sich im Abendanzug: Er sah aus wie ein Schuljunge, den man zum erstenmal in einen dunklen Anzug gesteckt hatte ...

Tichon Chrennikow: «Für ein des Sowjetvolkes würdiges Komponieren». In: «Sovetskaja Muzyka» 1/1948, S. 54–62 (nach den Parteibeschlüssen von 1948. Chrennikow ist seit damals Erster Sekretär des Sowjetischen Komponistenverbandes):
Eine eigentümliche Chiffriertheit und Abstraktheit der musikalischen Sprache verbarg oftmals Gestalten und Emotionen, die der sowjetischen realistischen Kunst fremd sind: expressionistische Verschrobenheit, Nervosität, eine Neigung zur Welt der entarteten, abstoßenden und pathologischen Erscheinungen. Darunter litten die VIII. und die IX. Sinfonie von Schostakowitsch und die Klaviersonaten von Sergej Prokofjew. Eines der Mittel zur Flucht aus der Wirklichkeit wurden «neoklassizistische» Tendenzen im Schaffen Schostakowitschs und seiner Nachahmer; das Wiederaufleben von Intonationen und Techniken Bachs, Händels, Haydns und anderer, die in dekadent-entstellendem Geiste reproduziert werden ...
... Das Schaffen sowjetischer Komponisten dieser Periode (der zwanziger und dreißiger Jahre) bietet viele Beispiele für das Aufkommen formalistischer Tendenzen in der sowjetischen Musik: der Oper *Die Nase* und der II. und III. Sinfonie von Schostakowitsch ...
... In den folgenden Jahren machten sich formalistische Tendenzen weiterhin im Schaffen einiger sowjetischer Komponisten bemerkbar. Ihren deutlichsten Ausdruck fanden diese in Schostakowitschs Oper *Die Lady Macbeth von Mzensk* und in seinem Ballett *Der helle Bach*, die auf Weisung des ZK der KPdSU (B) 1936 in Artikeln der «Prawda» entschieden verurteilt wurden, die den Schaden und die Gefahr der formalistischen Richtung für das Schicksal der sowjetischen Musik entlarvten ...

Von Geld ist die Rede, von wem noch?

«Lust und Geschmack an Reklame ...

… das ist es meiner Meinung nach, was ihn und Prokofjew hinderte, wirklich russische Komponisten zu sein», urteilt Schostakowitsch in seinen Memoiren. Ernest Ansermet erinnert sich: «Als er mich später in Genf besuchte, lief er von einem Antiquitätengeschäft zum anderen. Er feilschte, handelte, bettelte und erhielt zum Schluß immer alles, was er haben wollte, und zu einem Preis, den er zahlen wollte.» Der Komponist zählt zu den wenigen zentralen Gestalten der Musik des 20. Jahrhunderts. Vor allem seine Ballette sind fester und nun schon «klassischer» Bestandteil des internationalen Repertoires.

Seine finanzielle Situation war zunächst zufriedenstellend; sie wurde beengt nach Ausbruch des Ersten Weltkriegs, als aus Rußland nur noch geringe Geldbeträge geschickt werden durften, und prekär nach der Oktoberrevolution, als der Geldfluß ganz versiegte. Ein Zeitgenosse schreibt: «Er verbrachte den größten Teil seines Lebens in einem Zustand wirtschaftlicher Ungesichertheit, ständig auf der Suche nach Aufträgen. Erst im hohen Alter festigte sich seine wirtschaftliche Lage, ja, er gelangte sogar zu einem gewissen Wohlstand. Dann aber kam die Regierung (der USA) mit den Steuern und ‹fraß jede dritte seiner Noten›.» Von wem war die Rede?

(Alphabetische Lösung: 19-20-18-1-23-9-14-19-11-25)

Pfandbrief und Kommunalobligation

**Meistgekaufte deutsche Wertpapiere - hoher
Zinsertrag - schon ab 100 DM bei allen Banken
und Sparkassen**

Verbriefte · Sicherheit

... Einige Kritiker «schluchzten» vor Begeisterung, wenn sie über Werke von Prokofjew und Schostakowitsch schrieben. «Die IX. Sinfonie von Schostakowitsch scheint mir in ihrer Vollendung ein erstaunliches Werk ... Ihr zweiter Satz gehört zu den schönsten Seiten, die Schostakowitsch jemals komponierte.» So hieß es in Beiträgen zur Musikwissenschaftlichen Kommission des Sowjetischen Komponistenverbandes am 4. Dezember 1945. So schrieb auch der Kritiker Schlifstein in seiner Broschüre über die IX. Sinfonie: «Einfacher und durchsichtiger zu komponieren ist wirklich unmöglich.» Hinweise auf die Unverständlichkeit dieser musikalischen Sprache geben folgende Repliken: «Die Tiefe des Werkes von Schostakowitsch wird man erst in vielen Jahrhunderten entdecken ...» – «Wir verfügen noch nicht über die Maßstäbe seines Denkens und können uns nur schrittweise ihnen nähern, und je mehr wir uns ihnen nähern, desto einfacher und klarer werden sie uns.» (Martynow) Derselbe Martynow, der die formalistischen Werke Schostakowitschs rechtfertigt, beschreibt ihre Schöpfung wie einen vom Komponisten unabhängigen Prozeß: «Nicht der gute Wille des Komponisten und nicht die größte Konzentration seiner Bemühungen konnten die Situation retten: seine neuen Sinfonien fanden nicht die Anerkennung der breiten Massen.» – «Der Stil Schostakowitschs – dies ist die Norm der zeitgenössischen musikalischen Sprache», so schreibt Maasel in seiner Arbeit über Schostakowitsch ...

TICHON CHRENNIKOW: «30 Jahre Sowjetmusik und die Aufgaben der Sowjetkomponisten» (Referat auf dem Komponistenkongreß 1948). In: «Sovetskaja Muzyka» 2/1948, S. 23–46:
Züge des Konstruktivismus bestimmen den Stil vieler Werke des jungen Schostakowitsch wie der *Aphorismen* für Klavier und die II. Sinfonie *An den Oktober*, wo eine kalte lineare Graphik und ein gewollt abstraktes Spiel mit Rhythmen und Klangfarben den geringsten Vorschein eines lebendigen, gestalthaften und emotionalen Inhalts verdrängte. Schostakowitsch gab auch Beispiele der nihilistisch-zynischen Groteske, die bei den zeitgenössischen bürgerlichen Künstlern gewöhnlich deren skeptische, innerlich leere und zerbrochene Weltanschauung markiert. Dem Vergnügen am Banalen, Vulgären und Unbedeutenden widmete der junge Schostakowitsch viele Kräfte, hierin den westlichen «Meistern» der Groteske folgend, besonders in seinen Balletten auf sowjetische Themen ...
... Gröbster physiologischer Naturalismus und expressionistisch krankhafte Übertreibung traten besonders deutlich in den beiden Opern von Schostakowitsch *Die Nase* und *Lady Macbeth* hervor. Sie gaben Zeugnis, wie aufmerksam und bereitwillig Schostakowitsch die entarteten Vorbilder der neuesten bürgerlich-dekadenten Oper studiert hatte ...
... Der Formalismus war tief ins Denken von Schostakowitsch eingedrungen.
... Die VIII. Sinfonie erwies sich als besonders deutliches Symptom der tiefen Krise und der formalistischen Verblendung dieses Künstlers, seiner Isolierung von der ihn umgebenden Wirklichkeit ...

LEW KOPELEW: «Tröste meine Trauer». Autobiographie 1947–1954. Hamburg: Hoffmann und Campe 1980, S. 299, S. 317f (Kopelew, Friedenspreisträger des Deutschen Buchhandels 1981, ist ausgebürgerter Germanist und ehem. Offizier der Sowjetarmee, Verfasser u. a. der Heine-Monographie «Ein Dichter kam vom Rhein»):

Ich glaube, daß überhaupt die Musik für die Kultur das Wichtigste ist. Bei uns wird das nicht genug gewürdigt, weder im Rundfunk noch in den Klubs. Und wissen Sie, warum? Nehmen Sie es mir nicht übel, aber das kommt daher, daß bei uns die Musik von den Juden beherrscht wird ... Ja, ja, das wissen alle. Wohin man spuckt: irgendein Oistrach oder Gilels ... Und wer wird am meisten aufgeführt? Unbedingt Pokrass oder Schostakowitsch ... Aber nein, Sie irren sich. Schostakowitsch ist natürlich Jude. Schostakowitsch – Rabinowitsch ... Na, vielleicht ist er getauft. Aber seine Musik ist ganz und gar nicht russisch. Die ist kosmopolitisch. Das wissen alle. Das hat Genosse Shdanow festgestellt, und darüber gibt es Parteibeschlüsse ... Natürlich, ganz hat Schostakowitsch die zeitgenössischen russischen Komponisten nicht verdrängt – Solowjow-Sedoj und Chrennikow können sich noch behaupten. Aber sie haben es schwer. Im Konservatorium, im Radio, im Bolschoj-Theater – überall wirtschaften Juden. Man hält sie für geborene Musiker, während sich die schlichten Russen mit Harmonika und Balalajka vergnügen sollen.

Noch bösartiger, aufdringlicher als damals überkam mich der gemeine Gedanke: «Gut, daß ich im Gefängnis bin, daß ich keine Wahl habe, nicht öffentlich auftreten muß, daß niemand von mir fordert, meiner Parteipflicht nachzukommen und Wessolowskij und Schamil, Jusowskij und Schostakowitsch zu «entlarven» ...

GERD RUGE: «Ein Interview mit Schostakowitsch». In: «Musik und Szene», Theaterzeitschrift der Deutschen Oper am Rhein, 4. Jg. 1959/60, Nr. 5:

Dann öffnet sich die Tür zu einem unbehaglichen und unpersönlichen Büroraum: dem Empfangszimmer des Verbandsvorstandes, in dem an diesem Nachmittag Dimitri Schostakowitsch «Sprechstunde» hält, in dem er als Vorstandsmitglied Bittsteller empfängt und Ratschläge erteilt. Obwohl ich angemeldet war, scheint er von meinem Besuch überrascht und wirkt unvorbereitet. Schostakowitsch ist ein kleiner, grauhaariger Mann mit schmalem Gesicht und nervös umherirrenden Augen. Während ich ihm Fragen stelle, blickt er mich starr, wie hypnotisiert an. Wenn er antwortet, blickt er im Zimmer herum, fährt sich ständig mit zitternden Händen durch das kurze Haar, reibt sich die Augenbrauen, setzt die Brille auf und ab. Er spricht schnell und dennoch oft stockend, so als kontrolliere er sich bei jedem Satz, um ja nichts Falsches zu sagen. Selten ist es mir so schwer geworden, ein Gespräch zu führen ... An der Tür klopft es schon wieder. Die Witwe eines Musikers, die mit der Rente nicht auskommt, möchte Schostakowitsch sprechen. Ein paar jüngere Leute, eine bäuerlich aussehende Frau sitzen dort; sie wollen das Vorstandsmitglied Schostakowitsch sprechen. Er tut regelmäßig seine Arbeit im Verband. Er reist mit einem Diplomatenpaß um die Welt, und er ist außerdem ein Komponist. Dimitri Schostakowitsch ist ein gehetzter Mann, und vielleicht erklärt sich daraus jene Nervosität, die dem Besucher wie Unsicherheit vorkommt. Vielleicht ist er tatsächlich ganz zufrieden damit, daß ihn die Partei vom «Irrweg des Formalismus» zurückholte – als eine strenge und harte Lehrerin, die zu strafen, aber auch zu belohnen und zu verzeihen weiß. Niemand kann sagen, was ihn diese Entscheidung gekostet hat, und niemand kann wissen, was hinter dem zuckenden Gesicht vorgeht.

MARTIN WALSER: «Das Einhorn». Frankfurt: Suhrkamp 1966, S. 57:
... dieser kommunistische Wagner ... der arme Dimitri ...

FRIEDERIKE MAYRÖCKER: «Meisengeige», nach: L. Büttner: «Von Benn zu Enzensberger», Nürnberg 1972, S. 102:
   Schostakowitsch / hängte seine Notenköpfe / auf den Hopfenstrauch: / Bierdurst befiel / die Musiker / in Wladiwostok

ALEXANDER ABRAMOW: «Macht und Infantilität des Genies». In: «Vremja i my», New York, Jerusalem/Paris 58/1981, S. 163:
   Schostakowitsch blieb bis zu seinem Tode eine in vielem rätselhafte Figur. Die meisten Menschen seiner Umgebung, die ihn fast täglich sahen, wußten von ihm in gewissem Sinne weniger als über Goethe oder Michelangelo. Allen war klar, daß man seinen offiziellen Sprüchen zu 99 Prozent nicht glauben konnte. Was dachte er über das Leben, «über sich und die Zeit», und zwar nicht in Tönen, sondern in einfachen menschlichen Worten? Immer wieder bat man ihn, Memoiren zu schreiben – er verschloß sich, lehnte ab: *Hören Sie doch meine Musik, da ist alles gesagt.* Man bat ihn, den Sinn dieses oder jenes Werkes entdecken zu helfen – er brachte das Gespräch auf ein anderes Thema. Die ersten Gespräche mit Schostakowitsch versetzten meinen Hoffnungen einen argen Stoß. Wie ich ihn auch ausfragte, gelang es mir doch nicht, etwas aus ihm «herauszulocken». «Mit diesem einsilbigen Dimitri Dimitrijewitsch hatte ich auch weiterhin zu tun», so bekennt [der Dirigent] Mrawinski, dem der Komponist seine VIII. Sinfonie gewidmet hatte.

Werkliste

(nach Lew Danilewitsch: Dimitri Schostakowitsch, Moskau 1980, Malcolm Mac-Donald: Dimitri Shostakovich, A Complete Catalogue, London 1977, und Friedbert Streller: Dmitri Schostakowitsch, Leipzig 1982, sowie Mitteilungen des Verlages Sikorski, Hamburg)

vor 1915

Jugendwerke: *Der Soldat*, Trauermarsch für die Opfer der Revolution, Entwürfe zu einer *«Revolutionssinfonie»* und einer Oper *«Die Zigeuner»* nach Puschkin. Sämtlich vernichtet

1919

op. 1 Scherzo fis-moll für Orchester. Maximilian Steinberg gewidmet

1919–20

op. 2 Acht Präludien für Klavier. Nr. 1 B. M. Kustodiev gewidmet, Nr. 2–5 der Schwester Maria, Nr. 6–8 an «N. K.»

1921–22

op. 3 Thema mit Variationen in H-Dur für Orchester. Auch Fassg. f. Klav.

1922

op. 4 *Zwei Fabeln nach Krylow:* «Die Grille und die Ameise», «Der Esel und die Nachtigall» für Mezzosopran und Kammerorchester (Auch Fassung für Gesang und Klavier)
op. 5 *Drei phantastische Tänze für Klavier.* Josef Schwartz gewidmet
op. 6 Suite in fis-moll für zwei Klaviere. Gewidmet dem Andenken von D. B. Schostakowitsch (seines Vaters)

1923

op. 7 Scherzo für Orchester in Es-Dur. P. B. Rjasanow gewidmet
op. 8 Trio für Violine, Cello und Klavier. Gewidmet T. I. Gliwenko
op. 9 Drei Stücke für Cello und Klavier. Gewidmet der Schwester Soja, B. M. Bogdanow-Beresowski und V. I. Kurtschawow (1923–24)

1924–25

op. 10 I. Sinfonie f-moll (Diplomarbeit)
op. 11 Zwei Stücke für Streichoktett, oder Streichorchester. Dem Andenken von
V. I. Kurtschawow gewidmet

1926

op. 12 I. Klaviersonate

1927

op. 13 *Aphorismen für Klavier*
op. 14 II. Sinfonie in H-Dur *«An den Oktober»* nach A. Besymenski für Orchester
und Chor (Auftragswerk)

1927–28

op. 15 *Die Nase*. Oper in drei Akten nach Gogol. Libretto: E. Samjatin, G. Junin,
A. Preuß und der Komponist
op. 15a Suite daraus für Tenor, Bariton und Orchester

1928

op. 16 *«Tahiti-Trot»*. Transkription des Foxtrots «Tea for two» aus dem Musical
«No-no Nanette» von Vincent Youmans für Orchester
op. 17 Zwei Stücke von Scarlatti. Instrumentiert für Blasorchester
op. 18 Musik zu dem Stummfilm «Das neue Babylon» (Produktion: G. Kosinzew
und L. Trauberg im Staatl. Filmstudio Leningrad)

1929

op. 19 Musik zur Komödie «Die Wanze» von Wladimir Majakowski (Auftrag des
Meyerhold-Theaters)
op. 20 III. Sinfonie *«Zum 1. Mai»* für Orchester und Chor auf einen Text von S.
Kirsanow

1928–32

op. 21 *Sechs Romanzen auf Texte japanischer Dichter*, für Tenor und Orchester

1929–30

op. 22 *«Das goldene Zeitalter»*. Ballett in drei Akten auf ein Libretto von A. Iwa-
nowski (Auftrag des Leningrader Balletttheaters)

1929–32

op. 22a Suite daraus für Orchester

1929

op. 23 Zwei Orchesterstücke zur Oper «Armer Kolumbus» von Erwin Dressel
op. 24 Musik zum Schauspiel «Der Schuß» von A. Besymenski (Leningrader Theater der Arbeiterjugend)

1930

op. 25 Musik zum Schauspiel «Neuland unterm Pflug» von A. Gorbenko und N. Lwow nach dem Roman von Michael Scholochow (Leningrader Theater der Arbeiterjugend)

op. 26 Musik zum Film «Allein» (Produktion: G. Kosinzwe und L. Trauberg, «Sojuskino», Leningrad)

1930–31

op. 27 *«Der Bolzen»*, choreographisches Schauspiel in drei Akten nach einem Libretto von W. Smirnow

1931

op. 27a Suite daraus für Orchester

op. 28 Musik zum Schauspiel «Rule, Britannia!» von A. Piotrowski (Leningrader Theater der Arbeiterjugend)

1930–32

op. 29 *«Lady Macbeth des Mzensker Kreises»* (*«Katharina Ismailowa»*). Oper in vier Akten nach Nikolai Ljeskow. Libretto: A. Preuss und der Komponist

1931

op. 30 Musik zum Film «Goldene Berge» (Produktion: S. Jutkiewicz, «Sojuskino» Leningrad). Zweitfassung 1936

op. 30a Suite daraus für Orchester

op. 31 Musik zur Revue «Der bedingt Ermordete» von W. Wojewodin und E. Riss

1931–32

op. 32 Bühnenmusik zu Shakespeares «Hamlet» (Produktion: N. Akimow, Wachtangow-Theater Moskau)

1932

op. 32a Suite daraus für kleines Orchester

op. 33 Musik zum Film «Der Gegenplan» (Produktion: L. Arnstamm, «Sojuskino», Leningrad)

1932–33

op. 34 24 Präludien für Klavier

1933

op. 35 I. Konzert für Klavier und Orchester

op. 36 Musik zum Trickfilm «Das Märchen vom Popen und seinem Knecht Balda» nach Puschkin (Produktion: M. Zechanowski)

1933–34

op. 37 Musik zum Schauspiel «Menschliche Komödie» nach Balzac (Produktion: A. Koslowski und B. Schukin, Wachtangow-Theater Moskau)

9134

ursprünglich op. 38 Suite für Jazzorchester
op. 38 Musik zum Film «Liebe und Haß» (Prod.: S. Jearmolinski, «Meschrabpomfilm»)

1934–35

op. 39 *«Der helle Bach»*, Ballett in drei Akten. Libretto: F. Lopuchow und A. Piotrowski

1934

op. 40 Sonate d-Moll für Cello und Klavier. Viktor Kubatzki gewidmet

1934–35

op. 41 Musik zum Film «Maxims Jugend» (Prod.: G. Kosinzew und L. Trauberg, «Lenfilm»)
op. 41,2 Musik zum Film «Freundinnen» (Prod.: L. Arnstamm «Lenfilm»)

1935

op. 42 *Fünf Fragmente für kleines Orchester*

1935–36

op. 43 IV. Sinfonie c-Moll. (Auch Fassung f. Klavier 4-händig)

1936

op. 44 Musik zum Schauspiel «Salud, España» von A. Afinogenow (Prod.: N. Petrow und S. Radlow, Puschkin-Theater Leningrad)

1936–37

op. 45 Musik zum Film «Maxims Rückkehr» (Prod.: G. Kosinzew und L. Trauberg, Lenfilm)

1936

op. 46 Vier Romanzen nach Puschkin für Baß und Klavier

1937

op. 47 V. Sinfonie d-Moll

1936–37

op. 48 Musik zum Film «Die Tage von Wolotschajewka» (Prod.: G. und S. Wassiljew, Lenfilm)

1938

op. 49 I. Streichquartett C-Dur
op. 50 Musik zum Film «Die Wyborger Seite» (G. Kosinzew und L. Trauberg, Lenfilm)
op. 50a Stücke aus der Film-Trilogie «Maxim» für Orchester
op. 51 Musik zum Film «Freunde» (L. Arnstamm, Lenfilm)
op. 52 Musik zum Film «Der große Bürger», I. Teil (F. Ermler, Lenfilm)
op. 53 Musik zum Film «Der Mann mit dem Gewehr» (auch: «November») (N. Pogodin, S. Jutkiewicz, Lenfilm)

1939

op. 54 VI. Sinfonie h-Moll
op. 55 Musik zum Film «Der große Bürger», II. Teil (F. Ermler, Lenfilm)
op. 56 Musik zum Trickfilm «Dumme kleine Maus» (Samuel Marschak, Regie: M. Zechanowski)

1940

op. 57 Klavierquintett g-Moll
op. 58 Neuinstrumentation der Oper «Boris Godunow» von Modest Mussorgski
op. 58a Schauspielmusik zu Shakespeares «König Lear» (Leningrader Gorki-Theater)
urspr. op. 59 Drei Stücke für Solovioline (offenbar zurückgezogen)
op. 59 Musik zum Film «Die Abenteuer Korsinkinis» (K. Mintz, Lenfilm)

1941

op. 60 VII. («*Leningrader*») Sinfonie C-Dur. Der Stadt Leningrad gewidmet

1942

op. 61 II. Klaviersonate h-Moll. Dem Andenken von L. Nikolajew gewidmet
op. 62 *Sechs Romanzen nach Versen englischer Dichter* (Walter Raleigh, Robert Burns, Shakespeare und einem Volkslied) für Baß und Klavier. Gewidmet L. Atowmjan, der Ehefrau, Isaak Glückman, Juri Swiridow, Iwan Sollertinski und Wissarion Schebalin.
op. 63 Opernfragment «Die Spieler» nach Gogol. (1981 von seinem polnischen Schüler Krzysztof Meyer ergänzt)
op. 63 bis Musik zu einer Revue «Vaterland» des Gesangs- und Tanzensembles des NKWD
o. op. *«Der Schwur des Volkskommissars»* für Baß, Chor u. Klavier auf einen Text von S. Sajanow

1943–44

op. 64 Musik zum Film «Soja» (L. Arnstamm, Sowj. Kinderfilm)

1943

op. 65 VIII. Sinfonie c-Moll

1944

op. 66 Musik zum Programm «Der russische Strom» des Gesangs- und Tanzensembles des NKWD

op. 67 II. Klaviertrio e-Moll. Dem Andenken von Iwan Sollertinksi gewidmet.

op. 68 II. Streichquartett A-Dur

1944–45

op. 69 *Kinderalbum*. 6 Klavierstücke

1945

op. 70 IX. Sinfonie Es-Dur

op. 71 Musik zum Film «Einfaches Volk» (G. Konsinzew und L. Trauberg, Lenfilm)

op. 72 Zwei Lieder nach M. Swetlow für Gesang und Klavier

1946

op. 73 III. Streichquartett. Dem Beethoven-Quartett gewidmet.

1946–47

op. 74 *«Poem von der Heimat»* für Soli, Chor und Orchester

1947–48

op. 75 Musik zum Film «Die junge Garde» nach A. Fadejew (Prod.: S. Gerassi-
mow, Filmstudio Gorki), Teil I und II

op. 75a Suite daraus für Orchester, zusammengestellt von Lew Atowmian 1951

1947

op. 76 Musik zum Film «Pirogow» nach J. German (G. Kosinzew, Lenfilm)

op. 76a Suite daraus für Orchester, arrangiert von L. Atowmian

1947–48

op. 77 I. Violinkonzert A-Dur. David Oistrach gewidmet (ursprünglich, nach der
UA 1955, als Opus 99 eingeordnet)

1948

op. 78 Musik zum Film «Mitschurin» (A. Dowschenko, Mosfilm)

op. 78 Suite daraus für Chor und Orchester, arrangiert von L. Atowmian 1964

op. 79 *«Aus jüdischer Volkspoesie»* für Sopran, Kontraalt und Tenor mit Klavier

op. 79a Fassung mit Orchester, 1963

op. 80 Musik zum Film «Begegnung an der Elbe» (G. Alexandrow, Mosfilm); daraus *«Weltfriedenslied»* («Für den Frieden der Welt»). Daraus Lied *«Heimweh»*
nach J. Dolmatowski für Gesang und Klavier, 1956

op. 80a Suite daraus für Orchester

1949

op. 81 *«Das Lied von den Wäldern»* nach J. Dolmatowski für Tenor, Baß, Chor und Orchester

op. 82 Musik zum Film «Der Fall von Berlin» (M. Tschiaureli, Mosfilm)

op. 82a Daraus Suite für Orchester, arrangiert von L. Atowmian 1950

op. 83 IV. Streichquartett in D-Dur. Davon auch Arrangement für 2 Klaviere 4-händig

urspr. op. 84 Ballettsuite

1950

op. 84 Zwei Romanzen nach Michael Lermontow für Männerstimme und Klavier

op. 85 Musik zum Film «Bjelinski» (G. Kosinzew, Lenfilm)

op. 85a Daraus Suite für Orchester arrangiert von L. Atowmian 1960

1951

op. 86 Vier Lieder nach J. Dolmatowski für Gesang und Klavier

1950–51

op. 87 *24 Präludien und Fugen für Klavier*

1951

op. 88 *Zehn Poeme nach Revolutionsgedichten für Chor*

o. op. Ballettsuite Nr. 2

op. 89 Musik zum Film «Das unvergeßliche Jahr 1919» (M. Tschiaureli, Mosfilm)

op. 89a Ausschnitte daraus f. Orch. arrangiert von L. Atowmian 1955

1952

op. 90 *«Über unsrer Heimat strahlt die Sonne»*, Kantate von J. Dolmatowski für Chor und Orchester

op. 91 *Vier Monologe für Baß und Klavier auf Verse Puschkins*

o. op. Ballettsuite Nr. 3

op. 92 V. Streichquartett B-Dur. Dem Beethoven-Quartett gewidmet

1953

o. op. Ballettsuite Nr. 4

op. 93 X. Sinfonie e-Moll

op. 94 Concertino für zwei Klaviere, a-Moll

1954

op. 95 Musik zum Film «Lied der Ströme» (J. Ivens, DEFA)

op. 96 Festliche Ouvertüre f. Orch., A-Dur

1955

op. 97 Musik zum Film «Die Stechfliege» (E. Gawrilowitsch, A. Fainzimmer – Lenfilm)

Daraus: Tarantella – Version für 2 Klaviere
op. 97a Ausschnitte daraus arrangiert f. Orch. von L. Atowmian 1955

1954

op. 98 Fünf Romanzen nach J. Dolmatowski für Baß und Klavier

1956

op. 99 Musik zum Film «Die erste Staffel» (N. Pogodin, M. Kalatosow, Mosfilm)
op. 99a Ausschnitte daraus für Chor und Orchester
op. 100 *Spanische Lieder für Sopran und Klavier*
op. 101 VI. Streichquartett G-Dur

1957

op. 102 II. Klavierkonzert F-Dur. Dem Sohn Maxim gewidmet. Version für 2 Klaviere (ursprüngl. als op. 101 veröffentl.)
op. 103 XI. Sinfonie *«Das Jahr 1905»*, g-Moll. Auch Version f. Klav. 4hdg.
op. 104 Zwei Bearbeitungen russ. Volkslieder f. Chor a cappella

1958

op. 105 *«Moskau-Tscherjomuschki»*, Operette, Libr.: W. Mass und M. Tscherwinski. (DDR-Fassung von Kuba: «Alle helfen Lidotschka»)

1959

op. 106 Bearbeitung von Mussorgskis «Chowanschtschina» zur Verfilmung
op. 107 I. Cellokonzert Es-Dur. Mstislaw Rostropowitsch gewidmet.

1960

op. 108 VII. Streichquartett fis-Moll.
op. 109 *«Satiren» (Bilder der Vergangenheit)*. 5 Romanzen nach Texten von Sascha Tschorny für Sopran und Klavier
op. 110 VIII. Streichquartett c-Moll. Den Opfern des Faschismus und des Krieges gewidmet. (Arrangement für Streichorchester durch Rudolf Barschai bekannt als «Kammersinfonie»)
op. 111 Musik zum Tilm «Fünf Tage – fünf Nächte» (L. Arnstamm – Koproduktion Mosfilm/DEFA)
op. 111a Suite daraus f. Orch. zusammengestellt von L. Atowmian 1961
o. op. *Die Glocken von Noworossijsk*, f. Orch. Den Helden des Großen Vaterländischen Krieges gewidmet. Auch Fassungen für Klavier und für Chor

1961

op. 112 XII. Sinfonie «Das Jahr 1917», d-Moll. Dem Andenken W. I. Lenins gewidmet. Auch Arrangement für Klavier 4hdg.

1952–62

o. op. *Puppentänze für Klavier*

1962

s. op. 105 Musik zum Film «Tscherjomuschki» nach der gleichnam. Operette (G. Rappoport, Lenfilm)

op. 124 Zwei Chöre von A. Dawidenko, Bearbeitung für Chor u. Orch. (zunächst o. op. veröffentl.)

o. op. Bearbeitung der «Lieder und Tänze des Todes» von Mussorgski für Orchester. Galina Wischnewskaja gewidmet.

op. 113 XIII. Sinfonie nach Gedichten von Jewgeni Jewtuschenko für Baß, Baßchor und Orchester. Auch Arrangement für 2 Klaviere 4hdg.

op. 79 *«Aus jüdischer Volkspoesie»*, Bearb. f. Orch.

op. 125 Neuinstrumentation des Cellokonzerts a-Moll von Robert Schumann. Mstislaw Rostropowitsch gewidmet.

1963

op. 114 *«Katharina Ismailowa»*. Neue Fassung der Oper *«Die Lady Macbeth des Mzensker Kreises»*, op. 29. Libr.: Isaak Glückmann und der Komp.

op. 115 Ouvertüre über russische und kirgisische Volksthemen f. Orch.

1963–64

op. 116 Musik zum Film «Hamlet» nach Shakespeare in russ. Übs. von Boris Pasternak (G. Kosinzew, Lenfilm)

op. 116a Suite daraus f. Orch. arrangiert von L. Atowmian 1964

1964

op. 117 IX. Streichquartett Es-Dur. Irina Antonowna Schostakowitsch (der 3. Ehefrau) gewidmet.

op. 118 X. Streichquartett As-Dur. Moissej Wainberg gewidmet. (Arrangement davon für Streichorch. bekannt als «Sinfonie für Streicher»)

op. 119 *«Die Hinrichtung des Stepan Rasin»*. Poem f. Baß, Chor und Orch. nach Jewtuschenko

1965

op. 120 Musik zum Film «Ein Jahr wie ein Leben» (G. Roschal, Mosfilm)

op. 121 *Fünf Romanzen auf Texte aus der Zeitschrift «Krokodil»* für Baß und Klavier

1966

op. 122 XI. Streichquartett in f-Moll. Dem Andenken von Wassili Schirinski gewidmet.

op. 123 *«Vorwort zur Gesamtausgabe meiner Werke und Reflexion aus Anlaß dieses Vorworts»* für Baß und Klavier

op. 124 s. 1962, ebenso op. 125

op. 126 II. Cellokonzert g-Moll, Mstislaw Rostropowitsch gewidmet.

1967

op. 127 Sieben Romanzen nach Gedichten von Alexander Blok für Sopran und Klaviertrio. Galina Wischnewskaja gewidmet.

op. 128 *Romanze «Frühling, Frühling»* nach Puschkin
op. 129 II. Violinkonzert cis-Moll. David Oistrach gewidmet.
op. 130 *«Trauer- und Triumph-Präludium zum Gedenken an die Helden der Stalingrader Schlacht»* f. Orch.
op. 131 Sinfonisches Poem *«Oktober»*, c-Moll, f. Orch.
op. 132 Musik zum Film «Sofia Perowskaja» (E. Gawrilowitsch, L. Arnstamm, Mosfilm)

1968

op. 133 XII. Streichquartett in Des-Dur. Dimitri Zyganow gewidmet.
op. 134 Sonate für Violine und Klavier. David Oistrach gewidmet.

1969

op. 135 XIV. Sinfonie für Sopran, Baß und Kammerorchester auf Gedichte von Federico Garcia Lorca, Guillaume Apollinaire, Rainer Maria Rilke und Wilhelm Küchelbecker. Benjamin Britten gewidmet.

1970

op. 136 *«Die Treue»*. 8 Balladen f. Männerchor auf Verse von J. Dolmatowski
op. 137 Musik zum Film «König Lear» (G. Kosinzew, Lenfilm) nach Shakespeare
op. 138 XIII. Streichquartett b-Moll. Wadim Borissowski gewidmet.
op. 139 *«Marsch der sowjetischen Miliz»* f. Blasorchester

1971

op. 140 Bearbeitung der *«Sechs Romanzen auf Verse englischer Dichter»*, op. 62, für Orchester
op. 141 XV. Sinfonie in A-Dur. Auch Arrangement f. 2 Klaviere.

1972–73

op. 142 XIV. Streichquartett Fis-Dur. Sergej Schirinski gewidmet.

1973

op. 143 Sechs Gedichte von Marina Zwetajewa für Alt und Klavier
op. 143a Fassung für Alt und Kammerorchester

1974

op. 144 XV. Streichquartett es-Moll. Dem Andenken von Sergej Schirinski gewidmet
op. 145 Suite nach Gedichten von Michelangelo Buonarotti für Baß und Klavier. Der Ehefrau Irina Antonowna gewidmet.
op. 145a Davon Fassung für Baß und Orchester
op. 146 *«Vier Gedichte des Hauptmanns Lebjadkin»* nach Dostojewski f. Baß und Klavier

1975

op. 147 Sonate für Bratsche und Klavier. Fjodor Druschinin gewidmet.

Bibliographie (Auswahl)

Russische Namen und Titel werden hier – wie auch in den Anmerkungen – nicht nach Duden transkribiert, sondern in der wissenschaftlichen Transliteration aufgeführt, die eine eindeutige Retranskription gewährleistet. Die Auswahl umfaßt die wichtigeren Titel der noch immer spärlichen Schostakowitsch-Literatur in westlichen Sprachen und die Standardwerke der sowjetischen Schostakowitsch-Forschung. Der Name Schostakowitschs wird abgekürzt: Sch., Š, Sh. M = Moskau, L = Leningrad, SK = Verlag Sovetskij Kompozitor (Sowjetkomponist)

A. ABRAMOV: Mošč i infantilnost' genija (Kraft und Infantilität des Genies), in: Vremja i My 58/Jan.–Febr. 1981, New York, Jerusalem, Paris
  Variacii na temu (Variationen über ein Thema). In: Grani Nr. 118, S. 158–181
SAMUEL S. ASTER: An Analytic Study of Selected Preludes from Sh's 24 Preludes for Piano op. 34. Columbia University 1975
V. BOBROVSKIJ: Kamernye instrumental'nye Ansambli D.Š-a (Sch's instrumentale Kammerensembles), M : SK 1961
STEPHAN P. BRANDON: The Tuba: Its use in selected orchestral compositions of Strawinsky, Prokofiev, and Shostakovich. The Catholic University of America 1976, Music Studies Nr. 12
HEINZ ALFRED BROCKHAUS: Dmitri Sch. Leipzig: VEB Breitkopf & H. 1962
PETER BUSKE: Dmitri Sch., Leben und Schaffen eines sowj. Komponisten. Berlin: Gesellschaft f. Deutsch-Sowjetische Freundschaft 1975
SOFIJA CHENTOVA: Šostakovič – Pianist (Sch. als Pianist). L: Muzyka 1964
  Molodye Gody Šostakoviča (Jugendjahre Sch.'s) L: SK 1975
  Molodye Gody Š-a, 2. Kniga (Jugendjahre Sch.'s, Bd. 2) L: SK 1980
  D. D. Šostakovič v Gody Velikoj Otečestvennoj Vojny (D. D. Sch. in den Jahren des Großen Vaterld. Krieges) L: Muzyka 1979
  Šostakovič v Petrograde-Leningrade (Sch. in Petrograd/Leningrad) L: Lenizdat 1979
  Šostakovič. Tridcatiletije 1945–1975 (Sch., die dreißig Jahre von 1945 bis 1975). L: SK 1982
TICHON CHRENNIKOV: Za tvorčestvo, dostojnoe Sovetskogo naroda (Für ein des Sowjetvolkes würdiges Komponieren). Sovetskaja Muzyka 1948/1, S. 54–62
  Tridcat' let sovetskoj muzyki i zadači sovetskich kompozitorov (30 Jahre sowjetische Musik und die Aufgaben sowjetischer Komponisten), ebenda 1948/2, S. 23–46
LEV DANILEVIČ: D. D. Šostakovič (D. D. Sch.), M: SK 1958
  Naš Sovremennik. Tvorčestvo Š-a (Unser Zeitgenosse. Das Schaffen Sch.s) M: Muzyka 1965

Dmitrij Šostakovič. Žizn i tvorčestvo (D. Sch. Leben und Werk) M: SK 1980

VIKTOR DEL'SON: Fortepiannoe Tvorčestvo D. Šostakoviča (Das Klavierwerk D. Sch's) M: 1971

ALEKSANDR DOLŽANSKIJ: Kamernye instrumental'nye Proizvedenija D. Š-a (Instrumentale Kammerkompositionen D. Sch's) M: Muzyka 1965
24 Preljudii i fugi D. Š-a (Die 24 Präludien und Fugen D. Sch's) L: SK 1963, 2. Aufl. L: SK 1970

PAUL È. DYER: Cyclic Techniques in the String Quartets of D. Sh. Florida State University 1977 (Ann Arbor 1978)

È. FEDOSOVA: Diatoničeskie Lady v tvorčestve D. Š-a (Diatonische Skalen im Werk Sch's) M: SK 1980

MICHAEL GOLDSTEIN: Kto napisal «Sumbur vmesto muzyki»? (Wer schrieb den Artikel «Chaos statt Musik»?) Novoe Russkoe Slovo – Russian Daily 28. Juni 1980 (New York)
Viktor Gorodinskij i ego muzykal'nye zlodejanija (Viktor Gorodinsky und seine musikalischen Übeltaten) Russkaja Mysl – La Pensée Russe, Paris, 12 No. 3291, 17. Jan. 1980

NORMAN KAY: Shostakovich. London u. a.: Oxford University Press 1971 (Oxford Studies of Composers 8)

HANS KELLER: Sh's Twelfth Quartet. In: Tempo; London: Boosey & Hawkes 94/ 1970, S. 6–15

MARIAN KOVAL in den Referaten auf dem Komponistenplenum 1948, in Sovetskaja Muzyka 1/1948, S. 72–4 (Angriffe auf Sch.)
Tvorčeskij put' D. Š-a (Der kompositorische Weg D. Sch's) ebenda Nr. 2/1948, S. 47–61, Nr. 3/1948, S. 31–34 und Nr. 4/1948, S. 8–19

KARL LAUX: D. Sch., Chronist seines Volkes. Berlin: Kulturabend 1966
Die Musik in Rußland und in der Sowjetunion. Berlin: Henschel

HEINRICH LINDLAR: Vorworte zu den Platteneditionen der Streichquartette, der 24 Präludien und Fugen und der Sinfonien – Ariola.
«Spätstil? Zu Sch's Sinfonien 13–15». Schweizerische Musikzeitung 113. Jg. 6. Nov.–Dez. 1973, Zürich 1973, S. 340–45

GEORGE LOGAZO: The Bassoon; its use in selected works of Shostakovich, Stravinsky, and Schoenberg. University of Southern California 1969 (Ann Arbor 1969)

N. V. LUK'JANOVA: D. D. Šostakovič. M: Muzyka 1980, dt.: Berlin/DDR: Verlag Neue Musik 1982

MALCOLM MACDONALD: D. Sh. A Complete Catalogue. London: Boosey & Hawkes 1977

IWAN MARTYNOW: Dmitrij Schostakowitsch. Berlin: Henschel 1947 (Übersetzg. von Ivan Martynov: D. D. Š. L 1946)

LEO MAZEL': Simfonii D. D. Š-a (Die Sinfonien D. D. Sch's) M: SK 1960
(Hg.): Čerty stilja D. Š-a (Züge des Stils D. D. Sch's – Sammelband theoretischer Arbeiten) M: SK 1962

KRZYSTZOF MEYER: (Hg.): Szostakowicz z Pism i Wypowiedzi (Sch. in Briefen und Aussprüchen, poln.) Kraków: PWM 1979
Dmitri Schostakowitsch. Leipzig: Reclam 1980

EDWARD R. MUNNEKE: A comprehensive Performance Project in Viola Literature and a Stylistic Study of String Quartets 1–13 of Dmitri Shostakovich. University of Iowa 1977 (Ann Arbor 1978)

CHRISTOPHER NORRIS (Hg.): Sh., The man and his music (mit Beiträgen von Robert Dearling, Ronald Stevenson, Geoffrey Norris, Malcolm MacDonald, Bernard Stevens, Chr. Norris, Robert Stradling und Alan Bush) London: Lawrence and Wishart 1982

NIALL O'LOUGHLIN: Shostakovich and the String Quartet. In: Tempo, London: Boosey & Hawkes 1968, Nr. 87, S. 9–16

GENRICH A. ORLOV: Simfonii Š-a (Die Sinfonien Sch's) L: GMI (Staatl. Wiss. Institut f. Theater u. Kino) 1961

HUGH OTTAWAY: Sh's Symphonies (BBC Music Guides), London o. J.

FRED K. PRIEBERG: Vorworte zu den Platteneditionen, den Sinfonien und der Oper «Die Nase» – Ariola
Musik in der Sowjetunion. Köln: Wissenschaft u. Politik 1965

D. RABINOVICH: Dmitry Shostakovich. London: Lawrence & Wishart 1959

ERIC ROSEBERRY: Shostakovich, his life and times. New York: Midas/Hippocrene 1982

GERD RUGE: Ein Interview mit Sch. Theaterzeitschrift der Deutschen Oper am Rhein, 4. Jg. 1959/60, Nr. 5; Gespräche in Moskau. Köln: Wissenschaft u. Politik 1961

MARINA SABININA: Dmitrij Šostakovič. M: SK 1959
Simfonizm Š-a. (Die Sinfonik Sch's) M: Nauka 1965
Šostakovič – Simfonist (Sch. als Sinfoniker) M: Muzyka 1976

VICTOR I. SEROFF: Dmitri Sh. The Life and Background of a Soviet Composer. New York: Knopf 1943

ARTHUR DUANE SMITH: Recurring Motivs and Themes as a Means to Unity in Selected String Quartets of D. Sh. The University of Oklahoma 1976 (Ann Arbor 1976)

IWAN SOLLERTINSKI: Von Mozart bis Schostakowitsch. Übs.: Christof Rüger. Leipzig: Reclam 1979

BORIS SCHWARZ: Artikel Sh. in The New Grove's Dictionary of Music & Musicians. London: Macmillan 1980
Shostakovich's Struggle for creative freedom. In: Keynote, New York, Sept. 1981
Music and Musical Life in Soviet Russia. London: Barrie & Jenkins 1972

DMITRIJ D. SOSTAKOVIČ: O vremeni i o sebe. (D. Sch. über die Zeit und sich. Hg.: M. Jakovlev) M: SK 1980
Stat'i i materialy (Aufsätze und Materialien, zusammengestellt von G. M. Šneerson) M: SK 1976
Notografičeskij i bibliografičeskij Spravočnik (Notographisches und bibliographisches Handbuch, Hg.: E. Sadovnikov) M: Muzyka 1965
Katerina Ismailowa, Libretto, Fassung 1963 (Übers.: Joachim Herz, Hans-Jörg Leipold, Kurt Seipt; Einführung: Stephan Stompor) Leipzig: Reclam 1965
[weitere Titel s. Anmerkungen zum Text]

FRIEDBERT STRELLER: Dmitri Sch. Leipzig: VEB Deutscher Verl. f. Musik 1982

L. S. TRET'JAKOVA: D. Šostakovič. M: Sovetskaja Rossija 1976

ALEXANDER WERTH: Musical Uproar in Moscow. London: Turnstile Press 1949

SOLOMON VOLKOV: Testimony. The Memoirs of Dmitri Sh. London: Hamilton 1979. Deutsch: Zeugenaussage, übs. von Heddy Pross-Werth. Hamburg: Knaus 1979

VSEVOLOD ZADERACKIJ: Polifonia v instrumental'nych proizvedenijach D. Š-a (Polyphonie in den Instrumentalwerken D. Sch's) M: Muzyka 1969

Namenregister

Über den Autor

Detlef Gojowy ist 1934 bei Dresden geboren. 1952 Abitur dort an der Kreuzschule, dann Studium der Germanistik an der Humboldt-Universität Berlin, u. a. bei Alfred Kantorowicz und Wolfgang Harich, anschließend Studium der Kirchen- und Schulmusik an der Hochschule für Musik Berlin-Charlottenburg und Germanistik an der Freien Universität; Staatsexamensarbeit über Einflüsse J. S. Bachs auf Frédéric Chopin. Promotion in Göttingen 1966 in den Fächern Musikwissenschaft, Slawistik und Germanistik mit einer Arbeit über «Moderne Musik in der Sowjetunion bis 1930». Zeitweise im Schuldienst (1965–67), wissenschaftlicher Mitarbeiter beim Bach-Institut Göttingen (1967–70), beim Deutschen Musikrat (1970–74) und beim Verlagsprojekt «Enzyklopädie der Modernen Musik» (1975/76); Rundfunkredakteur für Neue Musik bei Radio Bremen (1976–78), seitdem beim Westdeutschen Rundfunk Köln. Freie publizistische Tätigkeit für die «Hildesheimer Presse» (1961–1970), für die FAZ (1971–79), den «Rheinischen Merkur» (seit 1981), «Die Welt» (seit 1982), für Musikzeitschriften (darunter «Ruch Muzyczny», Warschau) und Rundfunkanstalten; Hauptthemen: Neue Musik und Musik in Osteuropa.

Quellennachweise der Abbildungen

Deutsche Fotothek, Dresden: 6, 89
Ariola-Eurodisc: 10/11
Aus Sofija Chentova, Schostakowitsch in Petrograd/Leningrad: 14, 15, 21, 25, 26, 27, 30, 33, 56, 69, 90 o.
Aus: Lev Danilevič, Schostakowitsch, Leben und Werk M. SK 1980: 16, 29, 57, 65, 81, 93
Deutsche Staatsbibliothek, Berlin: 20
Foto Gojowy: 22 o., 22 u., 42, 46, 47, 53, 54, 55, 67, 68, 90 u., 96 o., 96 u.
Aus: Lev Danilevič, D. D. Šostacovič M: SK 1958: 28
Archiv Jörg Morgener, Hamburg: 32, 34/35, 44, 79
Rowohlt Archiv: 31, 94
Sammlung Gojowy: 37, 71, 73, 83, 84 re, 84 li
Irina Schostakowitsch: 45, 49, 102, 106, 111
Aus: Sowjetskaja Musyka, 1948/1: 76/77
Aus: Sofija Chentova, Jugendjahre Schostakowitschs: 64, 86
Sammlung Krzysztof Meyer: 99, 100, 101, 107, 112